新形式問題 完全対応

TOEIC® TEST リスニングスピードマスター

NEW EDITION

松本　恵美子
Matsumoto Emiko

Jリサーチ出版

TOEIC is a registered trademark of Educational Testing Service (ETS).
This publication is not endorsed or approved by ETS.

受験者へのメッセージ

「映像化」でリスニングが得意になる！

英語の音声は単なる音や言葉の羅列ではありません。

音のかたまりが正しい文法の規則にしたがって並んでいることによってできる、意味のある**生きたイメージ**です。

リスニングが得意な受験者の傾向として、聞いた音声を頭の中で**映像化**する、という1つの特徴があります。

大学の授業中などで、学生さんにやってもらうことがあります。

それは、大文字から始まってピリオドで終わる1つの英文を聞いて、試しに日本語でアウトプットしてもらうこと。するとリスニングが得意な人が一目瞭然にわかります。彼らは、聞こえてきた英文から、知らない単語は上手に無視して、その状況を頭の中にイメージできるのです。

一方、リスニングが得意でない人は、英文をかたまりで聞くのではなくて、単語1つ1つを聞こうとします。「これは知っている単語、これは知らない単語」と分類し、知らない単語の意味ばかり考えてしまうのです。

「単語の意味がわからないから、全体の意味がわかりません」というのは、ダメです。知らない単語ばかり気にしていたら、次々と流れてくる音声に、とても対処できるはずがありませんよね。

本書では、英文を聞いた瞬間に**即座に**状況を**正確にイメージ**することを目標にしています。単語を知っているかどうかは関係なく、英文を聞いてすぐに**写真のように**頭に状況が浮かぶようにすること。そして、話し手に感情移入ができたら、リスニングの問題が**物語のように**理解できて、「問題」とは思えなくなります。

　高得点取得者は、音声を聞いて当たり前のように会話の流れにフォーカスし、正しい答えだけが光る、そして正しい答えしかマークしません。そんな状況をつくるのが理想です。

　高得点取得者がどんな映像をイメージするのか、どんな答えが光るのか、イラストを使って、みなさんの「映像化」をお手伝いします。
　小手先のテクニックではなく、どんな音声が流れてきても、みなさんそれぞれの「映像化」ができるようになってください。
　映像化を「する」のではなく、聞いたものが全て映像になってしまう「人になる」のです。

著者　松本恵美子

本書は新形式問題に対応しています。

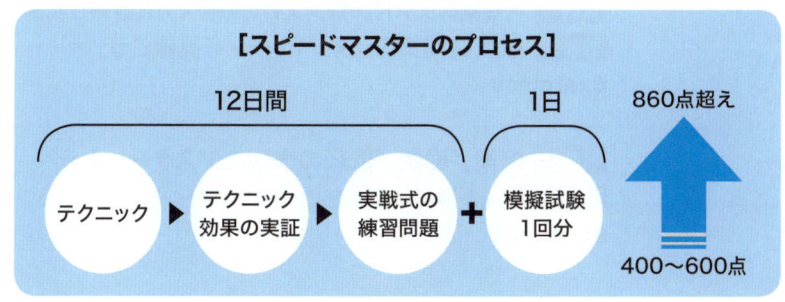

CONTENTS

受験者へのメッセージ 2
24 の解法を駆使してリスニングを制覇！................ 6
本書の利用法 12

第1章　Part 1：写真描写問題 15

DAY 1 16
解法① 人物の動作に注目しよう 16
戦略② 物が主語になる場合に注意しよう 18
Exercises 20

DAY 2 26
解法③ 物の位置関係をとらえよう 26
解法④ 受動態の表現に注意しよう 28
Exercises 30

第2章　Part 2：応答問題 37

DAY 3 38
戦略⑤ 文頭の疑問詞を聞き取ろう 38
戦略⑥ 会話の流れをイメージしよう 40
Exercises 42

DAY 4 50
戦略⑦ 問われているのは数か量かを区別しよう ... 50
戦略⑧ 一般疑問文とその答え方をマスターしよう ... 52
Exercises 54

DAY 5 62
戦略⑨ 否定疑問文／付加疑問文とその答え方に習熟しよう · 62
戦略⑩ 選択疑問文の正解パターンを見抜こう 64
Exercises 66

DAY 6 74
戦略⑪ 提案／勧誘／依頼の表現をマスターしよう 74
戦略⑫ 設問が疑問文の形をとらないパターンを攻略しよう · 76
Exercises 78

第3章 Part 3：会話問題 …… 87

DAY 7 …… 88
- 解法⑬ 設問と図表は必ず先に読んでおこう …… 88
- 戦略⑭ 似ている選択肢や図表を含む会話を攻略しよう …… 90
- Exercises …… 96

DAY 8 …… 102
- 解法⑮ 先読みすると「登場人物の数」と「誰が何をしたか」がわかる …… 102
- 戦略⑯ 設問を「映像化」しよう …… 104
- Exercises …… 110

DAY 9 …… 116
- 解法⑰ 頻出する場面設定を覚えよう …… 116
- 戦略⑱ 頻出する設問パターンと語彙を覚えよう …… 118
- Exercises …… 124

第4章 Part 4：説明文問題 …… 131

DAY 10 …… 132
- 解法⑲ 設問と指示文と図表を先読みしよう …… 132
- 戦略⑳ 設問中のキーワードを探そう …… 134
- Exercises …… 140

DAY 11 …… 148
- 解法㉑ 勝手な想像はしない！「映像化」しよう！ …… 148
- 戦略㉒ 関連語に飛びつかない！ …… 150
- Exercises …… 156

DAY 12 …… 164
- 解法㉓ 「メッセージ」「アナウンス」「広告」を攻略しよう …… 164
- 戦略㉔ 「スピーチ」「ニュース」「ガイドツアー」を攻略しよう …… 166
- Exercises …… 172

第5章 模擬試験 …… 181

DAY 13 問題 …… 182　　正解と解説 …… 210

Columns
1. マークシートを効率良く塗る方法 …… 86
2. 英語のリズムを身に付ければ、リスニング力がアップする …… 130
3. スランプから抜け出すには …… 180

24の解法を駆使してリスニングを制覇！

リスニング・セクションは満点を目指そう

　高得点を目指すモデルスコアとして皆さんに示しているのは、リスニング・セクション、リーディング・セクションそれぞれを450点ずつ取った場合のトータル900点ではありません。過去の受験者のスコア内訳や、データにより、リスニング・セクションでは満点の495点、もしくはそれに近い480点、470点あたりを目指してくださいと伝えています。

　実際、リスニングで満点を取得するには100問を全問正解する必要はありません。**回によって異なりますが、97問から95問の正答数で495点が取得できるので、480点、470点を目指すとなると、きちんと戦略を立てれば、多少のケアレスミスは気にせず本番に臨むことができます。**

　リスニング能力は時間をかけて身に付けるものです。それには内容を何度も読んで理解し、練習し、定着させて自分の身体の一部にする必要があります。その繰り返しを容易にするためにも本書は**13日間**という短期のプログラムで構成されています。最初の1回を試験直前対策として使用し、次の試験に向けて反復学習することも可能です。

　リスニング・セクションには4つのPartがありますが、その中でも比較的短期間で満点近くを目指すことのできるPart 1、Part 2では解法を細分化しています。そして難易度が高いとされる、Part 3では設問先読みによる情報先取りの方法や、誰の発言に集中すれば良いのかということ、Part 4では、リスニングの根本に関わる「映像化」の方法や、「似た発音」「関連語」などにひっかかるパターン紹介を通じてリスニングの実力アップを目指すプログラム構成になっています。

　各DAYのプログラムは「解法を読む」→「例題（Example）」→「練習問題（Exercises）」の流れになっており、その日の学習ポイントを読ん

で理解してから、実践的な問題で練習できるように工夫されています。では各DAYで扱うそれぞれのPartで必要とされる解法について紹介しましょう。

Part 1：写真描写問題

Part 1の特徴

　写真を見て、音声のみで流される4つの選択肢の中から写真の内容を適切に表している選択肢を選ぶ問題です。出題は6問。問題用紙には問題番号と写真のみが掲載されています。45分間のリスニングの最初で、比較的易しいPartです。ここを攻略するのが高得点取得のカギとなります。しかし、答えに確信が持てない場合でも前の問題を引きずらず、気持ちを入れ替えて次の設問に臨むことが重要です。

Part 1の解法ポイント

　人物が1人だけ写っている写真または、1人の人物にフォーカスを当てている場合は、主語はすべて同じ語なので、主語の後の動詞部分を集中して聞きましょう。

　複数人物が写真に写っていて、それぞれの行動が共通していない場合は、周辺のものに関する表現が正解になることが多いでしょう。動詞、目的語がそれぞれ違うだけではなく、主語も多岐にわたるため注意して聞くことが必要です。

　風景・室内の写真では、**建物、家具、車、植物などの位置関係・並び方**を説明している問題や、**物の状況を説明する**問題があります。前置詞で始まり、物の状況を表す修飾語句は、音を聞いたときにイメージできるように訓練しておきましょう。

　Part 1の正解の多くが「現在進行形」もしくは「現在形」で表現されています。また、写真にないものが音声に出てきたら、その選択肢は間違いです。主観や、個人的な憶測を含んだ選択肢も不正解。写真に載っているものと似た発音の語句を選択肢に含むひっかけ問題もあります。写真から連想できる単語が出てきたときに、すぐに飛びついて、誤答してしまわないように注意しましょう。

> **DAY1** 解法① 人物の動作に注目しよう
> 　　　　解法② 物が主語になる場合に注意しよう
> **DAY2** 解法③ 物の位置関係をとらえよう
> 　　　　解法④ 受動態の表現に注意しよう

Part 2：応答問題

Part 2 の特徴

　設問を聞いた後、その応答として最も適切な選択肢を選ぶ問題で、全部で25問あります。Part 2のみ、選択肢は4つではなく、3つです。写真を見たり、設問を読んだりという視覚的情報を使わずに、リスニング力のみを試されるパートで、瞬時に意味、状況を把握することが重要。単語レベルでの理解ではなく、会話全体で意味が通っているかどうかを判断する必要があります。きちんと音を聞き分ける力以外にも、設問の最初の語、動詞の時制、主語は誰か、などの詳細把握により、正解を導き出しましょう。

Part 2 の解法ポイント

　まずは文頭の語の聞き取りが大切です。疑問詞であれば、選択肢 (A)(B)(C)をすべて聞き、正解がわかるまで絶対にその疑問詞を頭に残しておきます。それができたら次に重要なのは「会話の流れ」を意識すること。疑問詞で始まる疑問文でもその他の形式でも、質問文の話者の状況を想像しながら解答しましょう。

　日常会話は常に文法や形式だけに忠実であるわけではありません。Where〜?で始まる質問に対し、「場所」でなく「人」が主語で始まる答えも存在します。日本語訳を考えることに時間を使うのではなく、状況を思い浮かべましょう。話者が質問をしている状況を考えるには、感情を込めながら設問をリピートする方法が最適です。例えば、Do you〜? Are you〜?などで始まる一般疑問文の答えは、中学校の文法の授業ではYes, I do. や、No, I'm not. でした。しかしTOEICでは会話の状況を想像してスムーズな

流れになっているかどうかを見極める力が試されるため、Yes/No.が正解になることは非常に少ないのです。このパターンを攻略するためにも、感情を込めて設問をリピートしてみましょう。

　「わかりません」と答える正答パターンや、質問返しのパターン、選択疑問文や提案、勧誘、依頼に対する応え方、否定疑問文や独り言に対する応答の方法についてもそれぞれ特徴的な傾向があります。すべてマスターしておきましょう。

DAY3 　解法⑤ 文頭の疑問詞を聞き取ろう
　　　　解法⑥ 会話の流れをイメージしよう

DAY4 　解法⑦ 問われているのは数か量かを区別しよう
　　　　解法⑧ 一般疑問文とその答え方をマスターしよう

DAY5 　解法⑨ 否定疑問文/付加疑問文とその答え方に習熟しよう
　　　　解法⑩ 選択疑問文の正解パターンを見抜こう

DAY6 　解法⑪ 提案/勧誘/依頼の表現をマスターしよう
　　　　解法⑫ 設問が疑問文の形をとらないパターンを攻略しよう

Part 3：会話問題

Part 3 の特徴

　男女2人または3人の会話に続いて設問3問を聞き、それぞれ4つの選択肢を読んで解答します。問題数は13セット、合計39問です。男性、女性、それぞれの立場をきちんと理解し、落ち着いて正解を選びます。Part 3ではリスニング力だけでなく、設問、選択肢を一瞬で読み取る短文速読力も必要とされます。会話文を聞く実力と共に、単語力と、そして主語、動詞、目的語の関係を誤解しないような構文力も重要になります。このPartが上手に攻略できるようになれば、リスニング・セクション高得点取得も近いでしょう。

Part 3 の解法ポイント

　会話文の音声が流れる前、つまり Part 3 のディレクションが流れている間に設問と選択肢を読んでおきます。Part 3 のディレクションは出題形式を説明しているだけなので、一度聞いたことがあれば、本番の試験中に聞く必要はありません。この間、設問を読んでおくことで、聞き取るべき情報の手がかりを把握し、重要な個所で集中力を高め、効率よく得点を確保しましょう。設問には会話文に関する手がかりが隠れています。あらかじめ読んでおいた設問と選択肢の内容を頭に描きながら会話を聞き、会話中に正解がわかった時点で解答用紙に軽くチェックを入れます。

　高得点を目指す受験者にとっての設問先読みとは、設問をぼんやりと目で見ることではありません。その問題文の意味を理解して、音声を聞きながら解答できるように「映像化」することです。一度頭の中でイメージした内容と一致するものを音声で聞いた瞬間に正解がひらめき、解答用紙にチェックを入れる、という状態が理想です。主語は誰か、動詞は？と考えながら、Part 3 に登場する人物が相手の発話に応じて変化する状況についていきましょう。

- **DAY7** 解法⑬ 設問は必ず先に読んでおこう
  解法⑭ 似ている選択肢が並ぶパターンを攻略しよう
- **DAY8** 解法⑮ 設問先読みで「誰が何をしたか」を把握しよう
  解法⑯ 設問を「映像化」しよう
- **DAY9** 解法⑰ 頻出する場面設定を覚えよう
  解法⑱ 頻出する設問パターンと語彙を覚えよう

Part 4：説明文問題

Part 4 の特徴

　1人のスピーカーによるアナウンスやナレーションなどの問題文が1度放送されます。1つの説明文につき3つの設問を聞き、4つの選択肢を読んで最も適切なものを答える問題が全部で10セット、合計30問続きます。リスニ

ング・セクションのうち問題文が長く、Part 3と並んで難易度の高いPartです。説明文の種類による特徴をつかんで、全体の内容を追っていきましょう。

> **Part 4 の解法ポイント**

　設問の先読み方法はPart 3と同じです。説明文を聞きながら、同時に設問と選択肢を読んでマークをしましょう。Part 4は語彙の難易度が高く、説明文が長い傾向にあります。苦手と感じる人も多いパートですが、1人のスピーカーが1つのテーマについてじっくりと話をするため、人によっては登場人物が2人いるPart 3よりも解きやすいと感じる受験者もいます。

　また、文章が長いだけに、きちんと先読みさえしていれば、「1つの設問を解答してから次の設問の解答の手がかりになる音声を聞く」までに時間的な余裕はあります。**設問中の主語である固有名詞や見慣れない動詞が音声で出てくるのを待ち、落ち着いて解答しましょう。**

　しかし、似ている単語を含んだだけの選択肢には誤答しないよう注意しましょう。初、中級者によくありがちな**「耳に残りやすい単語を勝手にキーワードと勘違い」**しないためにも、リスニング中は絶対に主語、動詞を英語の語順で処理しながら状況を**「映像化」**してください。出題者側は受験者の心理をよく理解して、ひっかかりそうな罠を選択肢中に散りばめています。本書で紹介している**「似た単語」「関連語」「同じ単語」**などの罠をよく研究しておきましょう。

DAY10 　解法⑲ 設問と指示文を先読みしよう
　　　　　解法⑳ 設問中のキーワードを探そう
DAY11 　解法㉑ 勝手な想像はしない！「映像化」しよう！
　　　　　解法㉒ 関連語に飛びつかない！
DAY12 　解法㉓ 「メッセージ」「アナウンス」「広告」を攻略しよう
　　　　　解法㉔ 「スピーチ」「ニュース」「ガイドツアー」を攻略しよう

本書の利用法

本書はTOEICのリスニング・セクションを攻略するために作成されたものです。リスニング・セクションすべてをマスターできる最強の「解法」を紹介します。Exercisesと模擬試験で実戦練習も十分にできます。

「解法」と「例題」のページ（第1章より）

リスニング・セクションの4つのPartを聞き取るための「解法」を毎日2つずつ具体的にわかりやすく紹介します。

「解法」のポイントを示しています。

正解を導く手順と各選択肢の注意点を示しています。

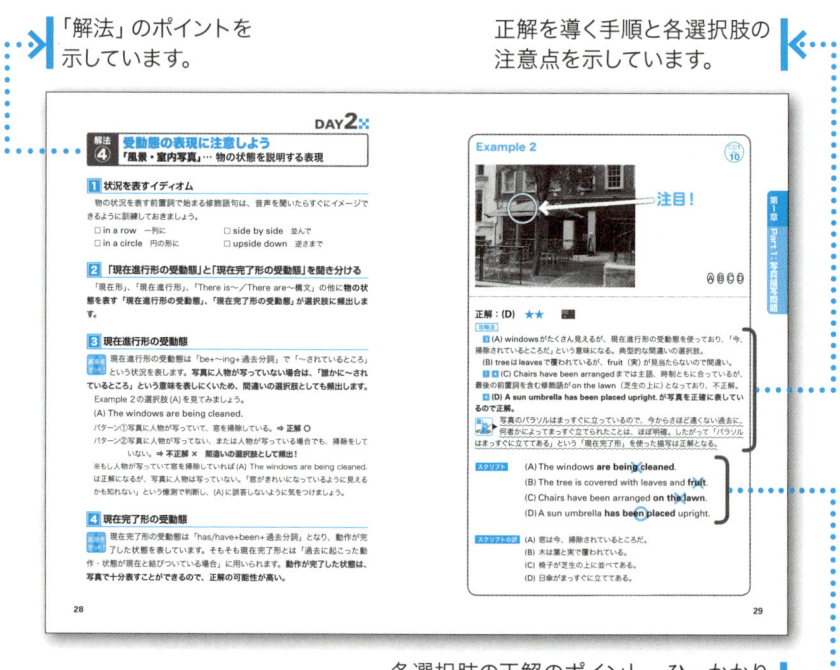

各選択肢の正解のポイント、ひっかかりやすいポイントを○、×で示しています。

正解・解説のページ（第3章より）

Exercisesや模擬試験の「正解・解説」コーナーは、解答のプロセスをできるかぎり再現するようにしました。英文のスクリプトには、各設問のアンサーキー（解答のヒント）をアミで示しています。

難易度を★～★★★の3段階で示しています。

4カ国の音声は国旗で表示しています。
（アメリカ　イギリス　オーストラリア　カナダ）

Part3、4では、問題文と訳を掲載しています。

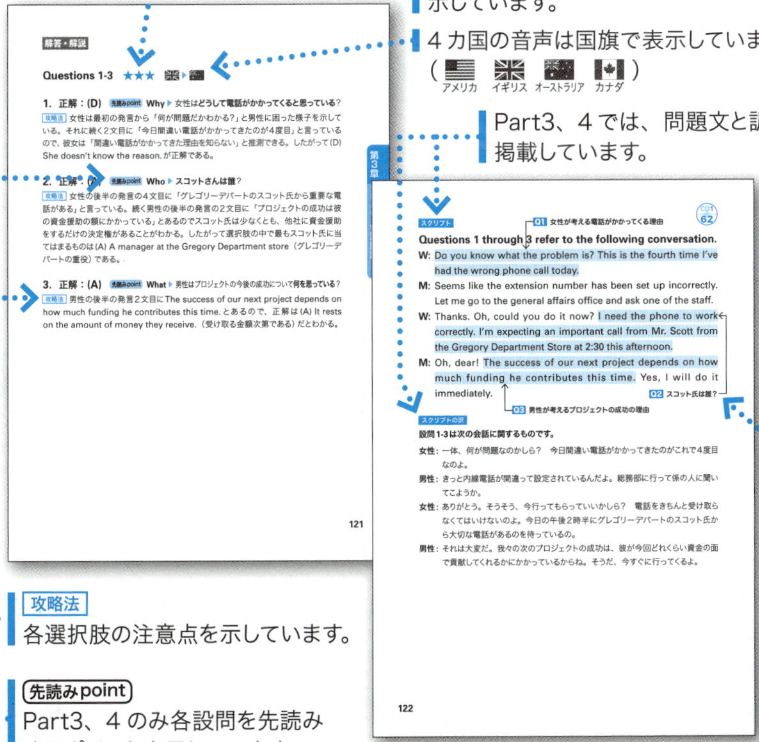

正解の選択肢を選ぶための聞き取るポイントです。

攻略法
各選択肢の注意点を示しています。

先読みpoint
Part3、4のみ各設問を先読みするポイントを示しています。

アイコンの説明

 基本 TOEIC受験者なら誰でも知っていてほしい基本の解法を示しています。

 罠 900点取得を目指す高得点者でもひっかかりやすい罠を示しています。

 高得点ゲット！ 730～860点取得を目指す受験者のための必須の解法を示しています。

学習スケジュール

本書は13日間ですべてを完了できるようになっています。各項目にDAYの表示をしています。もちろん、13日間にこだわることなくご自分のスケジュールで進めていただいてもまったく問題ありません。

第1章　Part 1：写真描写問題
- **DAY 1**　人物写真
- **DAY 2**　風景・室内の写真

第2章　Part 2：応答問題
- **DAY 3**　文頭の疑問詞／会話の流れをつかむ
- **DAY 4**　問われているのは数か量かを区別する／一般疑問文
- **DAY 5**　否定疑問文／付加疑問文／選択疑問文
- **DAY 6**　提案／勧誘／依頼の表現／設問が疑問文の形をとらないパターン

第3章　Part 3：会話問題
- **DAY 7**　設問先読み／似ている選択肢が並ぶパターンを攻略しよう
- **DAY 8**　設問から「誰が何をしたか」を把握する／設問を「映像化」する
- **DAY 9**　頻出する場面設定／頻出する設問パターンと語彙

第4章　Part 4：説明文問題
- **DAY 10**　設問と指示文の先読み／設問中のキーワード
- **DAY 11**　音声を「映像化」する／関連語に飛びつかない
- **DAY 12**　「メッセージ」「アナウンス」「広告」／「スピーチ」「ニュース」「ガイドツアー」

第5章　模擬試験100問（1回分）　**DAY 13**

! ボキャブラリーの復習は何度も繰り返し行うことをお勧めします。一度、問題文中で遭遇した単語や表現は強い印象を持っているので、覚えやすいはずです。

第1章
Part 1：写真描写問題

Part 1はリスニング・セクションのなかでも比較的やさしいパートです。得意とする受験者も多く、できるだけ満点近くを取りたい。写真を見て、4つの選択肢の中から写真の内容を適切に表しているものを選ぶ問題が合計6問あります。写真描写問題という形式上、問題は単純ですが、語彙レベルは高く、聞き慣れない単語も出てくるでしょう。答えに確信が持てない場合でも前の問題を引きずらずに、次に進むことが必要です。

DAY 1
- 解法① 人物の動作に注目しよう
- 解法② 物が主語になる場合に注意しよう

DAY 2
- 解法③ 物の位置関係を捉えよう
- 解法④ 受動態の表現に注意しよう

DAY 1

解法① 人物の動作に注目しよう
「人物写真」… 1人の人物にフォーカスしている場合

1 人物の動きを捉えよう！

　人物が1人だけ写っている写真、もしくは複数の人物が写っていても主役となる1人の人物にフォーカスしている場合は、選択肢(A)〜(D)の主語がすべて、The man（男性）、A woman（1人の女性）など、同じ語で統一されていることが多いです。このような場合は、**その後の人物の動作を表す表現、つまり、主語の後の動詞部分を集中して聞きましょう。**

　また、基本的に1枚の写真で表すことができる時制は「現在」であるはず。Part 1の正解の選択肢のほとんどが、人物の動作が「be動詞＋〜ing」の現在進行形、もしくは現在形で表現されていることにも注意しましょう。

2 頻出の動詞パターンに慣れよう！

　Part 1頻出の動詞パターンに慣れておきましょう。
- ✕ She is **putting on** her shirt.　「シャツを**着ようとしている**」という**行為・動作**を表す。
- 〇 She is **wearing** her shirt.　「シャツを**着ている**」という**状態**を表す。

　putting onの後の名詞はa cap、a hatなど、写真の人物が身に付けているものと一致することが多いため、ひっかかりやすい。写真で「何かをまさに着ようとしている」状況を表すのは難しいので、putting onを含む選択肢は間違いであることが多く、wearingを含む選択肢は正解である可能性が高い。

3 写真にないものが聞こえたら間違い

　写真にないものが音声で聞こえたら、その選択肢は間違い。 Example 1では、He is wearingの後がglasses（眼鏡）、a suit（スーツ）だったら間違い。

4 主観的判断や憶測はしない！

　写真を見ただけではわからない主観や、個人的な憶測を含んだ選択肢も不正解。Example 1では、The man is selling only foods.（男性は食べ物だけを売っている）、The man is cooking for his friend.（男性は友達のために料理をしている）などは写真を見ただけでは確認できないので、正解にはなりません。

Example 1　CDを聴いて正解を答えてください

注目！

Ⓐ Ⓑ Ⓒ Ⓥ

正解：(C) ★　

[攻略法]

1 写真の中で目立っているのは男性。選択肢がすべてThe manから始まっているので、**その後の動詞を聞き取ろう。**

3 (A) 動詞making（作っている）までは合っているが、その後の名詞はdinner。「夕食を作っている」かどうかは**写真になく**、わからないので、不正解。

2 (B) putting onは後の名詞が写真の男性が身に付けているcapなので正解だと勘違いしがちだが、**「着ている」動作をしていないので、**間違い。

(C) **The man is working on a grill. が正解。**

4 写真は焼き鳥を焼いているように見えるが、bird（鳥）を含む(D)は「鳥の群れに餌をやっている」の意。誤答しないように注意しよう。

[スクリプト]
(A) The man is making **dinner**. ❌
(B) The man is **putting on** his cap. ❌
(C) The man is working on a grill.
(D) The man **is feeding** a flock of birds. ❌

[スクリプトの訳]
(A) 男性は夕食を作っている。
(B) 男性は今、帽子を身に付けているところだ。
(C) 男性はグリル装置を使って仕事をしている。
(D) 男性は鳥の群れに餌をやっている。

DAY 1

解法② 物が主語になる場合に注意しよう
「人物写真」… 1人の人物にフォーカスしていない場合

1 主語・動詞の両方に注目！

複数の人物が写真に写っており、1人の人物が目立っていない場合には、周りの複数の人物に共通する動作や周辺の物を表したものが正解になることがあります。選択肢は人物の行動を表したものだけではないので、単純に「人＋行動」を示すものが正解とは限りません。

2 人物以外の主語が答えになる可能性が高い

複数の人物の行動が共通していない場合は、周辺の物に関する表現が正解になることが多い。

3 人が主語になる場合は、文頭から注意して聞こう！

動詞、目的語だけでなく、文頭の主語から注意して聞くことが必要。写真と照らし合わせて、まず主語がどの人物を指しているかを明確にしましょう。

[選択肢に頻出する主語]
〇特定の人々を示す単語
　□ audience　観客　　　□ pedestrian　歩行者　　□ driver　運転手
　□ mechanic　整備士　　□ shopkeeper　店員　　　□ vendor　販売員

〇不特定の人々を示す単語
　□ he　彼　　　　　　　□ they　彼ら　　　　　　□ people　人々

4 写真に写っているものと同じ単語、似た発音が出てきたら……

写真に写っているものと似た発音の語句を選択肢に含むひっかけ問題は頻出。Example 2では、左の人物の顔がこちらを向いているため、face（顔）という単語を連想しがち。これを動詞face（～の方向に向く）として使っている(A)は間違いです。**写真に写っている物と同じ単語が選択肢に含まれているからといって、正解になるとは限りません。** Example 2のaudience（観客）、a man（男性）を含む選択肢が間違いであることを確認しましょう。

Example 2

Ⓐ Ⓑ Ⓒ Ⓓ

正解：(B)　★　🇨🇦

攻略法

1 (A) 写真に写っているThe audience（観客）が主語だが、「向かい合っている」わけではないので不正解。

2 (B) Several seats are unoccupied. が写真を正しく描写しているので正解。

罠6 **(C) 写真から連想できる単語がでてくると、受験者はそれに飛びついてしまう傾向がある。**写真から連想される語であるbaseball（野球）が含まれているが、野球の試合が行われていないので不正解。

(D) 左に写っている人物は、人々が向いている方向と反対向きに歩いているが、paved road（舗装道路）が写真に写っていないので間違い。

スクリプト
(A) The audience is **facing** each other.
(B) **Several seats** are unoccupied.
(C) They are watching **a baseball** game.
(D) A person is crossing **a paved road**.

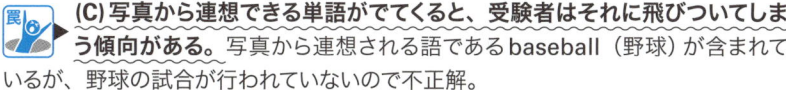

スクリプトの訳
(A) 観客は互いに向き合っている。
(B) いくつかの座席は空いている。
(C) 彼らは野球の試合を観戦している。
(D) 1人の人物が舗装された道路を横断している。

Exercises 正解と解説→ p. 22

1.

Ⓐ Ⓑ Ⓒ Ⓓ

2.

Ⓐ Ⓑ Ⓒ Ⓓ

3.

Ⓐ Ⓑ Ⓒ Ⓓ

4.

Ⓐ Ⓑ Ⓒ Ⓓ

5.

Ⓐ Ⓑ Ⓒ Ⓓ

正解と解説

1. 正解：(D)

スクリプト
(A) Children are strolling along the walkway.
(B) Children are playing on the swings.
(C) Children are on the alert for a landslide.
(D) Children are about to fall into the water.

スクリプトの訳
(A) 子供たちは歩道沿いに歩いている。
(B) 子供たちはブランコで遊んでいる。
(C) 子供たちは地すべりに注意している。
(D) 子供たちは今まさに水中に飛び込むところである。

攻略法
写真には子供たちがプールの滑り台を上から滑って来たところが写っている。ここはwalkway（歩道）ではないので (A) は不正解。(B) は遊具の種類が違う。swing は「ブランコ」の意。(C) landslide は「地滑り」の意。slide（滑り台）と混同してはいけない。これから水中に飛び込むであろうことがほぼ確実なので (D) が正解。

写真はシャッターが切られたその瞬間をとらえたものなので、Part 1 では未来形は答えになりにくい。be about to〜（まさに〜しようとしている）は未来を表す表現だが、Part 1 では正解として出題される。

- □ **stroll** 自 散歩する
- □ **swing** 名 ブランコ
- □ **landslide** 名 地すべり
- □ **walkway** 名 歩道
- □ **on the alert** 警戒態勢で

2. 正解：(C) ★★

スクリプト

(A) They are watching a musical performance.
(B) He's positioning a tripod.
(C) People are wearing caps.
(D) They are operating heavy machinery.

スクリプトの訳

(A) 彼らは音楽の演奏を観ている。
(B) 彼は三脚の位置を調節している。
(C) 人々は帽子を被っている。
(D) 彼らは重機を操作している。

攻略法
通りで管楽器奏者たちが演奏している場面。演奏しているところを見ている人達は写真に写っていないので(A)は間違い。(B)写真の中で目立つのはtrumpet（トランペット）だが、tripod（三脚）と音が似ているため、混同しないように注意しよう。(C)演奏者たちがほぼ全員cap（帽子）を被っているので正解。(D)楽器は重そうに見えるかもしれないが、heavy machineryは「重機」の意なので不正解。

 heavy machineryは「重いもの」ではなく、工事現場のトラクターなどの「重機」。仮に「楽器は重い」という選択肢があったとしても「重い」かどうかは主観的判断であり、正解にはならない。

- □ **position** 他 位置を確認する
- □ **operate** 他 操作する
- □ **tripod** 名 三脚
- □ **heavy machinery** 重機

3. 正解：(D) ★★

スクリプト

(A) A woman is packing a suitcase.
(B) A woman is strolling on the trail.
(C) The ground is being resurfaced.
(D) Some goods are displayed under the awnings.

スクリプトの訳

(A) 女性はスーツケースに詰めている。
(B) 女性は山道を散策している。
(C) グラウンドは現在舗装し直されている。
(D) 商品のいくつかは日よけの下に陳列されている。

攻略法

女性が手前に1人。他にも目立たない人物が写っている写真。(A)はA womanとsuitcase（スーツケース）が見えるが、pack（詰める）作業が写真の中にないため、不正解。(B)女性は山道を散策しているわけではない。(C)グラウンドを舗装している様子も人物も写真には見当たらない。(D)写真左側に日よけがたくさん見える。その下に並んでいる物に人物が関心を示している様子なので正解。awning（日除け）の意。

□ **pack** 他 荷造りする □ **suitcase** 名 スーツケース
□ **stroll** 自 散策する、散歩する □ **trail** 名 山道
□ **resurface** 他 再舗装する □ **awning** 名 日除け

4. 正解：(A) ★

スクリプト

(A) Girls are standing side by side.
(B) Girls are facing each other.
(C) Girls are distributing materials.
(D) Girls are serving refreshments.

スクリプトの訳

(A) 少女たちは隣り合って立っている。

(B) 少女たちは向かい合っている。
(C) 少女たちは教材を配っている。
(D) 少女たちは軽食を出している。

> 攻略法

主語はすべてGirls（少女たち）。位置関係や、動作に注目しよう。少女たちは並んで立っているので(A)が正解。(B) faceは他動詞で「向き合う」の意。(C)テーブルの上に何かの材料が見えるからと言ってmaterial（材料、教材）と聞いて誤答しないように注意しよう。少女たちは軽食を出しているのではないので(D)も不正解。

- □ **side by side** 並んで
- □ **distribute** 他 配る
- □ **serve** 他 出す
- □ **face** 他 向き合う
- □ **material** 名 材料、教材
- □ **refreshments** 名 軽食

5. 正解：(A) ★★

> スクリプト

(A) People are standing near a wall.
(B) People are lining up to board a ship.
(C) People are waiting with their passports.
(D) People are walking toward a building.

> スクリプトの訳

(A) 人々は壁の近くで立っている。
(B) 人々は船に乗るために並んでいる。
(C) 人々はパスポートを持って待っている。
(D) 人々はビルに向かって歩いている。

> 攻略法

主語はすべてPeople（人々）で一致している。動詞と修飾語句に注意しよう。(A)は「壁の近くで立っている」と言っていて、これが正解。(B)は「並んでいる」という動作は合っているが、ship（船）は写真の中にないので不正解。(C)もwaiting（待っている）と動作は合っているが、人々がパスポートを持っている様子はない。(D)はwalking（歩いている）の動作が写真と一致しない。

 写真と一致する動作、「並んでいる」「待っている」が聞こえても、すぐに正解と決めてはいけない。

- □ **line up** 並ぶ
- □ **passport** 名 パスポート

DAY 2

解法③ 物の位置関係をとらえよう
「風景・室内写真」… 物の位置関係を説明する表現

1 頻出パターン

　Part 1の写真の位置関係を説明する表現では、**現在形、現在進行形やThere is～／There are～（～があります）のthere構文**で始まり、修飾語句（位置関係を表すon the tableなど）で締めくくられるものが頻出します。There is～、There are～と聞こえたときにはその後に出てくる名詞が写真に写っていること、位置関係の前置詞句が合っていることが確認できれば正解となります。

　There is～、There are～と音が似ている**They are～（彼らは～です）とは違う構文であることを、瞬時に区別しましょう。**

2 位置関係を表す前置詞句

　前置詞で始まる修飾語句は頻出しますが、特に位置関係の表現は、音声を聞いたときにイメージできるように訓練しておきましょう。

- □ at a store　　店で
- □ in the room　　部屋の中に
- □ from the sink　　流しから
- □ under the chair　　椅子の下に
- □ across the street　　通りの向かい側に
- □ next to a rack　　棚の横に
- □ on the wall　　壁に
- □ into a glass　　グラスの中に
- □ to the food　　食べ物の方に
- □ behind the counter　　カウンターの後ろで
- □ along the shore　　岸に沿って
- □ in front of the car　　車の前に

3 人が主語になる場合は、文頭から注意して聞こう！

　解法①の「人物写真」の場合と同じく、**写真に写っていない物が出てきた場合、その選択肢は明らかに間違い。** Example 1の写真では目に付く「テーブル」、「椅子」、「絵画」、「鏡」、「床」、「植物」以外に、選択肢ではbeds、desks、stepladder、doorなどが出てきます。聞こえた瞬間に正解から排除しましょう。

Example 1

注目！

Ⓐ Ⓑ Ⓒ Ⓓ

正解：(A) ★★ 🇬🇧

攻略法

　写真に写っていない単語を選択肢に含むもの、位置関係が間違っているものは即座に不正解となる。

　1 **(A) There are〜**で始まり、「いくつかの絵が壁にかかっている」とあるので、正解。

　3 **(B) There is a mirror**（鏡がある）までは正解だが、その後の「ベッドの間に」が写真と一致しておらず、不正解。

　2 **(C)** 写真の右側にある Potted plant（鉢植え）が主語になっているが、「机の上に置かれている」が不適当。

　3 **(D)** 鏡の中に ladder（梯子）のようなものが見えるが、stepladder（脚立）かどうかが断定できないことと、ドアが写真に写っていないため、不正解。

スクリプト

(A) **There are** several pictures hanging on the wall.
(B) There is a mirror **between the beds**.
(C) Potted plants **are placed on top of desks**.
(D) **A stepladder** is set next to the **door**.

スクリプトの訳

(A) 壁にいくつかの絵がかけられている。
(B) ベッドの間に鏡がある。
(C) 鉢植えが机の上に置かれている。
(D) 脚立がドアの横に置かれている。

DAY 2

解法④ 受動態の表現に注意しよう
「風景・室内写真」… 物の状態を説明する表現

1 状況を表すイディオム

物の状況を表す前置詞で始まる修飾語句は、音声を聞いたらすぐにイメージできるように訓練しておきましょう。

- □ in a row　一列に
- □ in a circle　円の形に
- □ side by side　並んで
- □ upside down　逆さまで

2 「現在進行形の受動態」と「現在完了形の受動態」を聞き分ける

「現在形」、「現在進行形」、「There is～／There are～構文」の他に**物の状態を表す「現在進行形の受動態」、「現在完了形の受動態」が選択肢に頻出します。**

3 現在進行形の受動態

高得点ゲット！　現在進行形の受動態は「be+～ing+過去分詞」で「～されているところ」という状況を表します。**写真に人物が写っていない場合は、「誰かに～されているところ」という意味を表しにくいため、間違いの選択肢としても頻出します。**

Example 2の選択肢(A)を見てみましょう。

(A) The windows are being cleaned.

パターン①写真に人物が写っていて、窓を掃除している。⇒ **正解 ○**
パターン②写真に人物が写ってない、または人物が写っている場合でも、掃除をしていない。⇒ **不正解 ✕　間違いの選択肢として頻出！**

※もし人物が写っていて窓を掃除していれば(A) The windows are being cleaned.は正解になるが、写真に人物は写っていない。「窓がきれいになっているように見えるかも知れない」という憶測で判断し、(A)に誤答しないように気をつけましょう。

4 現在完了形の受動態

高得点ゲット！　現在完了形の受動態は「has/have+been+過去分詞」となり、動作が完了した状態を表しています。そもそも現在完了形とは「過去に起こった動作・状態が現在と結びついている場合」に用いられます。**動作が完了した状態は、写真で十分表すことができるので、正解の可能性が高い。**

Example 2

Ⓐ Ⓑ Ⓒ Ⓓ

正解：**(D)** ★★

[攻略法]

　3 (A) windowsがたくさん見えるが、現在進行形の受動態を使っており、「今、掃除されているところだ」という意味になる。典型的な間違いの選択肢。

　(B) treeはleavesで覆われているが、fruit（実）が見当たらないので間違い。

　1 **4** (C) Chairs have been arrangedまでは主語、時制ともに合っているが、最後の前置詞を含む修飾語がon the lawn（芝生の上に）となっており、不正解。

　4 **(D) A sun umbrella has been placed upright.** が写真を正確に表しているので正解。

 写真のパラソルはまっすぐに立っているので、今からさほど遠くない過去に、何者かによってまっすぐ立てられたことは、ほぼ明確。したがって「パラソルはまっすぐに立ててある」という「現在完了形」を使った描写は正解となる。

[スクリプト]
(A) The windows **are being cleaned**.
(B) The tree is covered with leaves and **fruit**.
(C) Chairs have been arranged **on the lawn**.
(D) A sun umbrella **has been placed** upright.

[スクリプトの訳]
(A) 窓は今、掃除されているところだ。
(B) 木は葉と実で覆われている。
(C) 椅子が芝生の上に並べてある。
(D) 日傘がまっすぐに立ててある。

Exercises 正解と解説→ p. 33

1.

Ⓐ Ⓑ Ⓒ Ⓓ

2.

Ⓐ Ⓑ Ⓒ Ⓓ

3.

Ⓐ Ⓑ Ⓒ Ⓓ

4.

Ⓐ Ⓑ Ⓒ Ⓓ

5.

正解と解説

1. 正解：(B) ★

スクリプト
(A) Tables have been arranged in a circle.
(B) Most of the chairs have backrests.
(C) Chairs have been stacked in the corner.
(D) The shape of the tables is square.

スクリプトの訳
(A) テーブルは丸く並べられている。
(B) ほとんどの椅子には背もたれがついている。
(C) 椅子が角に重ねられている。
(D) テーブルの形は四角である。

攻略法
1つの部屋にテーブルと椅子がばらばらに置かれている。テーブルの形は丸いが、丸く並べられているわけではないので(A)は不正解。(B)椅子はほぼすべて同じ形で、背もたれがついており、正解。(C)椅子は角にまとまって置いてあるのではなく、部屋全体に置かれている。(D)はテーブルの形をsquare（四角）と言っており、間違い。

落とし穴 square（四角）、circle（丸）などの表現はその物の形を表しているのか、置かれている状況を表しているのか見極めよう。

- **arrange** 他 整える、配列する
- **square** 名 四角
- **backrest** 名 背もたれ
- **shape** 名 形
- **stack** 他 積み重ねる

2. 正解：(B) ★★

スクリプト
(A) There is a lot of traffic on the street.
(B) The roofs of the houses are slanted.
(C) All of the vehicles are covered with snow.
(D) The cars have stopped for a traffic signal.

> スクリプトの訳

(A) 道路は交通量が多い。
(B) 家々の屋根は傾いている。
(C) すべての車両は雪に覆われている。
(D) 車は信号で止まっている。

> 攻略法

雪に覆われた街並みの風景写真だが、正解はsnow（雪）を含まない(B)。slantは「傾斜させる」の意。(A)道は混雑しているほどではない。(C)写真に写っている4台の車のうち、1台は雪に覆われていない。(D)写真の中に信号がないので不正解。

> 落とし穴 snow（雪）という語を聞くことにこだわり過ぎて誤答の(C)を選ばないように注意しよう。

□ slant 他 傾斜させる　　　□ vehicle 名 車両
□ signal 名 信号

3. 正解：(A) ★

> スクリプト

(A) One of the doors has been left open.
(B) A man is refueling his car.
(C) A man is pulling a cart.
(D) The car has reached a parking lot.

> スクリプトの訳

(A) ドアの1つが開けられたままになっている。
(B) 男性がガソリンを入れている。
(C) 男性はカートを引いている。
(D) 車は駐車場に到着したところだ。

> 攻略法

向かって右側のドアが開いているので、(A)が正解。(B)男性は両手をポケットに入れている。現在ガソリンを入れている状況ではないので間違い。(C)写真の中にcart（カート）が見えないので間違い。(D)ここはparking lot（駐車場）ではなく、ガソリンスタンドなので不正解。

□ leave 他 〜のままにしておく　　　□ refuel 他 燃料を補給する
□ cart 名 カート　　　□ parking lot 駐車場

4. 正解：(C) ★★

スクリプト
(A) People are pushing their motorbikes.
(B) Passengers are exiting an excursion ship.
(C) The boat is flying a flag.
(D) Divers are examining a water-bus.

スクリプトの訳
(A) 人々はオートバイを押している。
(B) 乗客たちは遊覧船から降りている。
(C) 船は旗を掲げている。
(D) ダイバーたちが水上バスを点検している。

攻略法
1人にフォーカスしていない人物の集合写真の問題。(A)主語と動詞「人々は押している」までは写真と一致しているが、押しているものはmotorbike（オートバイ）ではない。(B) passenger（乗客）だけが合っているが、「降りている」動作が間違い。この船はexcursion ship（遊覧船）には見えない。(C)船は旗を掲げており、これが正解。(D)写真の中の人々がdivers（潜水夫）かどうかはわからない。動作も写真とは一致しておらず、不正解。

 一人の人物にフォーカスしていない写真の場合、周辺のものを表した選択肢にも注意しよう。

- □ **motorbike** 名 オートバイ
- □ **exit** 他 退去する
- □ **fly** 他 （旗を）掲げる
- □ **examine** 他 検査する
- □ **passenger** 名 乗客
- □ **excursion ship** 遊覧船
- □ **diver** 名 ダイバー

5. 正解：(D)

スクリプト

(A) A man has jumped into the stream.
(B) One of the canoes is empty.
(C) They are waiting in line with their tickets.
(D) They are rowing boats on the river.

スクリプトの訳
(A) 男性は流れに飛び込んだ。
(B) 1艘(そう)のカヌーには人が乗っていない。
(C) 彼らはチケットをもって一列になって待っている。
(D) 彼らは川でボートをこいでいる。

攻略法

川で2艘のカヌーに乗った人々が漕いでいる場面。(A)stream は「小川」の意だが、人が飛び込んだ様子はないので不正解。(B) 人の乗っていないカヌーは見当たらない。in line（列になって）につられて(C)にマークしないように。チケットをもって列をつくっているのではない。彼らは川でボートをこいでいるので(D)が正解。

- **stream** 名 流れ、小川
- **empty** 形 空の
- **row** 他 船をこぐ
- **canoe** 名 カヌー
- **in line** 列になって

第2章
Part 2：応答問題

Part 2はリスニングセクションの中でも唯一、写真を見る、設問を読むという視覚的情報をまったく使わずに、リスニング力のみを試されるPartです。合計25問です。質問文の流れる数秒に集中し、状況を把握できるかがPart 2攻略のカギ。音声をきちんと聞き、意味を理解して正解に結びつけるために、Part 2に出題される典型的な問題から応用問題までをマスターしましょう。

DAY 3
- 解法⑤　文頭の疑問詞を聞き取ろう
- 解法⑥　会話の流れをイメージしよう

DAY 4
- 解法⑦　問われているのは数か量かを区別しよう
- 解法⑧　一般疑問文とその答え方をマスターしよう

DAY 5
- 解法⑨　否定疑問文/付加疑問文とその答え方に習熟しよう
- 解法⑩　選択疑問文の正解パターンを見抜こう

DAY 6
- 解法⑪　提案/勧誘/依頼の表現をマスターしよう
- 解法⑫　設問が疑問文の形をとらないパターンを攻略しよう

DAY 3

解法⑤ 文頭の疑問詞を聞き取ろう
疑問詞で始まる設問文

1 文頭の疑問詞を絶対に覚えておく!

　Part 2の設問の約半数を占めるのが、疑問詞で始まる疑問文。文頭のWho/When/Where/What/Why/（How/Whichは解法⑦で解説）に集中し、**前の問題を解答し終えたら、次の質問が流れる前まで待ちかまえておきましょう。疑問詞が聞き取れたら選択肢(A)(B)(C)をすべて聞き、正解がわかるまで絶対にその疑問詞を頭に残しておきましょう。**

2 うろ覚えの単語の日本語訳を思い出すことに時間を使わない

高得点ゲット! 　中級レベルの受験者がやってしまいがちなのが、聞き慣れない単語の意味を思い出そうとすること。Example 1では、medical thermometer（体温計）がそれに当たります。Part 2では設問の後に短い3つの選択肢が速く流れるので、うろ覚えの単語の日本語訳を探している余裕はありません。するべきことは、文頭の疑問詞Whereを聞いて「どこ？　どこ？　どこ？」と頭の中で繰り返すこと。最初の一語を聞き取る練習は、徹底的に繰り返しておきましょう。

　<u>Where</u> do you usually keep the medical thermometer?
　　⇑　　　　　　　　　　　　　　　⇑
　「どこ？ どこ？ どこ？」　　　日本語訳を思い出すのをガマンする！

3 疑問詞を聞いてから解答し終わるまで

　Part 2攻略の第一段階は、「どこ？　どこ？　どこ？」と繰り返しながら、(A)から順に選択肢を聞くことです。(A)「私は医師に会う」では答えになっていないので違うな、(B)「締め切りが今日までであることを覚えておくように」も違うな、(C)「電話の横の何かの箱の中」が正解だな、というように最後まで「どこ？」の答えを探すことができるように訓練しましょう。

4 Yes／Noで始まる選択肢は、ほぼ間違い

　疑問詞で始まる質問文の場合、Yes、Noで答えが始まることはないと思ってよいでしょう。もしYes、Noで始まる選択肢があれば、正解から排除しましょう。

Example 1

Mark your answer on your answer sheet. Ⓐ Ⓑ Ⓒ

正解：**(C)** ★

攻略法

1 疑問詞Whereで始まる疑問文。Where~?（どこ~?）と「体温計のある場所」について聞いているので、場所に関する答えを待とう。medical thermometerの意味は「体温計」だが、頭の中では「医療関係のもので、何かを測るもの」程度の解釈で十分。なぜなら、後半部分が聞き取れなくても、疑問詞さえ聞き取れていれば、正解がわかる問題は多数出題されるからだ。

(A) 設問のmedicalが使われたmedical advisor（医師）が含まれているが、体温計のある場所について答えていないので、不正解。

(B) 設問のkeep（保管する）をkeep in mind that~（~を心に留めておく）のイディオムで使っているが、「締切日が今日」であることは体温計の場所とは無関係なので間違い。

3 **(C) 場所に関する答えであり、正解となる。**

スクリプト

Where do you usually keep the medical thermometer?
(A) I am going to **see my medical advisor** this afternoon.
(B) Well, **keep in mind** that the deadline is today.
(C) In a first-aid kit next to the telephone.

スクリプトの訳

いつもはどこに体温計をしまってありますか。
(A) 私は今日の午後に医師に会います。
(B) そうですね、締め切りが今日であることを忘れないでください。
(C) 電話の横の救急箱の中です。

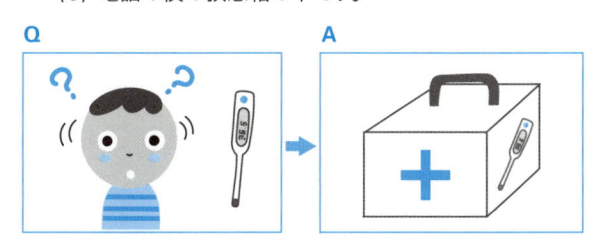

DAY 3

解法 ⑥ 会話の流れをイメージしよう
話し手の状況を想像する

1 会話の流れをとらえる！

　解法⑤の「文頭の疑問詞を保持したまま解答する」ことができたら、次は会話の流れをマスターしましょう。注意したいのは、Part 2の題材となっているオフィス等での日常会話は**生きた会話**であること！　質問したり、相手の間違いを指摘したり、休暇の感想を話したりする会話文なので、いつも文法や形式に忠実であるとは限りません。**Part 2の出題の中心は、実は「会話の流れ」をとらえることなのです。**Part 2が苦手な受験者の多くはこの、「会話の流れ」がとらえられていない場合が多いのです。

2 どうして例外の答えが頻発するの？

　Part 2の攻略のコツは、疑問詞で始まる疑問文に限らず、**どの形式の疑問文でも質問者の状況を想像する**ことです。
　Example 2はWhere〜?に対して、正解は「場所」を答えている選択肢でなく「人」が主語である選択肢の例。日常会話においてはこのような受け答えは当然存在します。Where〜?だけを聞き、話者の状況を想像せずに「どこ？」の答えを待ったとしたら、The store near the campus（大学近くの店）という場所である(A)に誤答してしまうでしょう。

3 感情を込めながら設問をリピート！

高得点ゲット！ 2 のパターンを避けるための練習方法として「感情を込めて主語と動詞をリピートする」ことをしてみましょう。ここではWhere can I get〜?（私はどこで〜をゲットできる？）と、感情を込めながら英語でリピートし、話者がこの質問をしている状況を考えてください。文全体から話者が「おいしいコーヒーが飲みたい」と考えているのが分かるでしょうか。「自分はどこでおいしいコーヒーを飲む？」と頭の中で想像しながらWhere can I get a decent cup of coffee?と何度もつぶやく。すると、質問の答えとして適切なのは、(B)「サンチェスさんが教えてくれますよ」であることがわかります。

Example 2

Mark your answer on your answer sheet. Ⓐ Ⓑ Ⓒ

正解：**(B)** ★★

攻略法

　疑問詞Whereで始まる疑問文。Where〜?（どこ〜？）と聞いているが、単純に「場所」を聞いているのではなく、「おいしいコーヒーを飲みたい」という質問者の意図に対して適切に対応している選択肢を探していると考える。
　(A)は設問の単語cupから、「良いコップを探している」と間違って解釈した場合に選んでしまう選択肢。
　2 **(B)は主語のMr. Sanchezという、人物の名前で始まっているが、「その人がコーヒーの飲める場所を教えてくれる」という意味で、正解となる。**
　(C)は「コーヒーはいかがですか」などと勧められた場合の返答になり、ここでは不正解。

スクリプト　　Where can I get a decent cup of coffee?

(A) The store near the campus has a good selection of tableware.
(B) Mr. Sanchez will show you.
(C) You are kind to say such things.

スクリプトの訳　おいしいコーヒーをどこで飲むことができますか。

(A) 大学近くの店の食器の品揃えがいいです。
(B) サンチェス氏がご案内します。
(C) そんなことを言うなんて、あなたは優しいです。

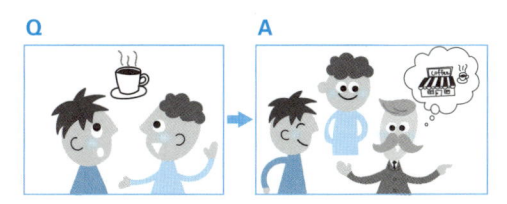

罠⑥　「会話の流れをとらえる」こと念頭に置くと、39ページのExample 1の設問「いつもどこに体温計をしまってありますか」に対して、一見すると設問に無関係なAre you running a fever?（熱があるのですか）が選択肢にあれば正解だと判断できるだろう。このように、質問に対して質問で答える場合も正解になり得る。

Exercises 正解と解説→ p. 44

CD1 18 ～ CD1 21

1. Mark your answer on your answer sheet. Ⓐ Ⓑ Ⓒ

2. Mark your answer on your answer sheet. Ⓐ Ⓑ Ⓒ

3. Mark your answer on your answer sheet. Ⓐ Ⓑ Ⓒ

4. Mark your answer on your answer sheet. Ⓐ Ⓑ Ⓒ

5. Mark your answer on your answer sheet.   Ⓐ Ⓑ Ⓒ

6. Mark your answer on your answer sheet.   Ⓐ Ⓑ Ⓒ

7. Mark your answer on your answer sheet.   Ⓐ Ⓑ Ⓒ

8. Mark your answer on your answer sheet.   Ⓐ Ⓑ Ⓒ

正解と解説

1. 正解：(B) ★★ 🇬🇧▶🇺🇸

スクリプト
Can you send these packages to Dr. Han by the end of this week?
(A) It was on Saturday.
(B) That's out of the question.
(C) No announcement has been made.

スクリプトの訳
週末までにこれらの荷物をハン先生に届けてもらえますか。
(A) それは土曜日でした。
(B) まったく不可能です。
(C) まだ発表されていません。

攻略法
Can you〜?で始まる依頼文。Can you〜?と問いかけることで、「能力」ではなくて依頼を表現している。(A)は質問文の最後のby the end of this week?から「週末」のイメージのみが残ってしまった場合にひっかかりがちなトラップ。(B) It's out of the question. が正解。「まったく不可能です」の意味が瞬時にイメージできるかがカギ。(C)は質問に答えておらず、的外れの選択肢。

☐ **package** 名 荷物
☐ **out of the question** 不可能で、問題にならない
☐ **announcement** 名 発表

2. 正解：(B) ★★ 🇺🇸▶🇨🇦

スクリプト
What is the dollar-yen exchange rate today?
(A) No, he is from Korea.
(B) Why don't you visit a financial web site?
(C) The training wear is reversible.

スクリプトの訳
今日のドルと円の相場はいくらですか。
(A) いいえ、彼は韓国から来ています。
(B) 金融情報のサイトを見てはいかがですか。

(C) そのトレーニング着はリバーシブルです。

攻略法

疑問詞What〜?で始まる疑問文。「ドル円相場はいくら?」と聞いているのに対し、(A)は質問文から「両替」や「海外旅行」を何となく想像した場合にひっかかるトラップ。(B)は直接質問に答えているわけではないが、「金融情報を見たら?」と情報を得る手がかりを示しており、正解。(C)は質問と関わりがないので、不正解。

- □ **exchange rate**　為替相場
- □ **reversible**　形 リバーシブルの

---

3. 正解:(A) ★★

スクリプト
When is the questionnaire for membership satisfaction due?
(A) It is on the survey sheet.
(B) The shop will open on March 25th.
(C) Sorry, I was late due to the accident.

スクリプトの訳　会員満足度調査の締め切りはいつですか。
(A) それは調査用紙に書いてあります。
(B) その店は3月25日に開店します。
(C) すみません、事故の影響で遅れました。

攻略法

疑問詞When〜?で始まる疑問文。「いつ〜?」と聞いているのに対して直接、「時間」を答えているのではなく、「それは用紙に書いてあります」と、締め切りを知る方法を示している(A)が正解。(B)にはMarch 25thと日付が含まれているが、どこかの店の「開店日」を表しており、この質問の答えとしては不適当。(C)は質問文とdueという語が一致しているのみで不正解。

落とし穴　When〜? に対して日時を答えていなくても、会話が流れていれば正解!

- □ **questionnaire**　名 アンケート
- □ **survey**　名 調査
- □ **due to**　〜のために

4. 正解：(A) ★

スクリプト

Have you heard the employment statistics for August yet?
(A) They are better than last year by 2 percent.
(B) Mr. Armstrong, our new boss.
(C) There were many people at an employment examination.

スクリプトの訳

8月の雇用統計の結果発表をもう聞いた？
(A) 昨年の統計よりも2％良くなったようです。
(B) アームストロング氏、私たちの新しい上司です。
(C) 採用試験にはたくさんの人々がいました。

攻略法

Have you〜? で始まる、疑問詞を使わない疑問文。「雇用統計についてもう聞いた？」の問いかけに対し、「昨年よりも2％良くなった」と答えている(A)が正解。(B)は our new boss（私たちの新しい上司）の語が人事の話と関連するように感じるが「雇用統計の発表」とは関係がないので不正解。(C)は質問文のemploymentと語が一致するが、質問に対する答えとしては不適当。

☐ **employment** 名 雇用
☐ **statistics** 名 統計

5. 正解：(B) ★

スクリプト

Which lawn mower is more reasonable?
(A) I loaned my snowboard to my brother.
(B) The heavy one without warranty.
(C) It is very expensive.

スクリプトの訳

どちらの芝刈り機がよりお手頃ですか。
(A) 自分のスノーボードを弟に貸しました。
(B) 保証書のついていない重いほうです。
(C) それはとても高価です。

> 攻略法

疑問詞Which～?で始まる疑問文。reasonableは「手ごろな」の意。lawn mower（芝刈り機）の意味がわからなくても「どちらの〜がよりお手頃な値段ですか」と、文全体を解釈できるようにしよう。「どちらか」を聞いているので(A)では質問に答えていないことがわかり、不正解となる。(B)は「重いほうです」と答えているのでこれが正解。(C)は質問文にあるreasonableとほぼ反対の意味のexpensive（高価な）を用いたトラップ。

- ☐ **lawn mower**　芝刈り機
- ☐ **loan**　他 貸す
- ☐ **warranty**　名 保証書

6. 正解：(A) ★★

> スクリプト

The price tag reads "Special Offer."
(A) Yes, it's 15 percent off.
(B) I can't read such small letters.
(C) They will offer a brochure at the ticket booth.

> スクリプトの訳

値札に「特価品」とあります。
(A) はい、15％オフです。
(B) そんなに小さい字は読めません。
(C) チケット売り場でカタログを提供しています。

> 攻略法

平叙文に答える問題。「値札に "Special Offer" とあります」に対して(A)はおそらく店員が「15％オフです」と、値下げ金額について答えているのでこれを正解とする。(B)は設問のreadsと同じ語であるreadを用いているが、「そんなに小さい字は読めません」では会話が流れておらず、不正解。(C)も質問文中のofferを用いているが、「チケット売り場でカタログを提供している」は質問文と関連がないため間違いである。

> 落とし穴　疑問文の形式を取らない、平叙文に対しての応答は、会話が自然に流れている選択肢を選ぼう！

- ☐ **price tag**　値札
- ☐ **offer**　他 提供する
- ☐ **brochure**　名 カタログ、パンフレット

7. 正解：(A) ★★ 🇨🇦▶🇺🇸

スクリプト
I ran into Douglas at the station.
(A) Is he back from his business trip already?
(B) Check the bulletin board for the timetable.
(C) Right next to the baggage claim area.

スクリプトの訳
駅でばったりダグラスに出くわしたよ。
(A) 彼はもう出張から帰ったのかい？
(B) 時刻表については掲示板をチェックしてください。
(C) 手荷物受取所の隣です。

攻略法
平叙文に答える問題。「駅でダグラスに出くわした」との語りかけに対して(A)は「彼は出張から帰ったの？」とダグラスに対する興味を示し、質問することにより、会話が流れており、正解。(B)は質問文の「駅」から想像できるtimetableを含むことにより、誤答を誘っている。(C)は「手荷物受取所の隣です」では会話が成立せず、不正解。

☐ **run into**　～に偶然出会う
☐ **bulletin board**　掲示板
☐ **baggage claim**　手荷物受取所

8. 正解：(A) ★★ 🇨🇦▶🇦🇺

スクリプト
Did you hear that Richard has been officially appointed as a Sales Director?
(A) That's not the way I heard it.
(B) She's got some weak points.
(C) How did you know that it was a sales product?

スクリプトの訳
リチャードが営業部長に正式に任命されたって聞いた？
(A) そんなふうには聞いていないよ。
(B) 彼女には弱点があるよ。
(C) それが販売商品だってどうして知ったの？

> 攻略法

Did you～? で始まる、疑問詞を使わない疑問文。「リチャードが営業部長に正式に任命されたと聞いた？」の問いに対して (A) は「そんなふうには聞いていないですよ」と、自分が得た情報と違うと答えており、正解である。Richardは男性の名であり、(B) はsheの指す人物が不明。(C) は質問文とdid you やsales 等の音が一致しているのみで、不正解。

> 落とし穴 最近の傾向としてDid you hear～? に対してYes, I did／No, I didn't. と答える選択肢は不正解である場合が多い。この問題ではYes／Noで始まる選択肢はない。

- □ **officially** 副 正式に
- □ **appoint** 他 任命する

DAY 4

解法⑦ 問われているのは数か量かを区別しよう
疑問詞 How / Which で始まる疑問文

1 会話の流れをとらえる!

解法⑥で示したように「会話の流れ」についていけるようになったら、Howで始まる表現をマスターしましょう。Howは続く形容詞・副詞によって問われる内容が変化します。以下のパターンを覚えましょう。

- ☐ How much ～?　いくら?
- ☐ How many ～?　いくつ?
- ☐ How long ～?　どれくらいの期間、長さ?
- ☐ How far ～?　どれくらい長く?
- ☐ How often ～?　どれくらいの頻度で?
- ☐ How soon ～?　どれくらい早く?

2 How much～?が値段を聞いているとは限らない!?

文の最初の疑問詞はHowですが、Howだけを繰り返す戦略（解法⑤の 1）は、ここでは通用しません。また、厄介なのは、たとえHow much～?まで聞き取れたとしても、それが「値段」を聞いているとは限らないパターンがあることなのです。解法⑥の 3 で示したように**話者の状況を想像して、会話の流れに乗りましょう。**

3 Whichで始まる疑問文が出てきたら、比べよう!

Whichが出てきたら、名詞と動詞に注目し、状況を想像しましょう。

設問 Which financial **accountant** is **more efficient** in processing the customer data?
　　　　　　　　　　⇧　　　　　　⇧
（どちらの会計士が顧客情報を処理するのに能力が高いですか）

設問をリピートしながら「どちらの会計士が効率的な仕事をするかが知りたい」という気持ちで選択肢を待ってください。

①はっきりとどちらかの人を指している場合
　Mr. Reed looks better to me.（リード氏が良いと思います）⇒ **正解 ○**
②わからない場合
　Sorry, I'm not really sure.（すみません。よくわかりません）⇒ **正解 ○**
③今はわからないが、自分で調べると言っている場合
　Let me check their entry card.（彼らの登録カードを見てみましょう）⇒ **正解 ○**

Example 1

Mark your answer on your answer sheet. Ⓐ Ⓑ Ⓒ

正解：(B) ★

攻略法

　How、How much、How much time のどこで区切っても話者の状況がわからなければ正解に結びつかない。話者が聞きたいのは、「値段」でも「頻度」でもなく、「給料明細の発行にかかる時間」なのだ。

　❷ (A) 質問文を聞いて最初から How much までで区切ると、「いくら？」と聞いていると誤解してしまい、(A) を選んでしまう。

　❷ (B) 設問文全体の意味を捉えて、給料明細の発行される時間を問われていることがわかれば、**「少なくとも2日かかります」が正解だとわかる。**

　❷ (C) 質問文を How much time～？で区切ってしまうと「どれくらいの時？」とあいまいな解釈になる。この選択肢のように「週に3回」と間違える可能性がある。

スクリプト

How much time do you need to issue a payment statement?

(A) Less than 3,700 dollars.
(B) At least 2 days.
(C) 3 times in a week.

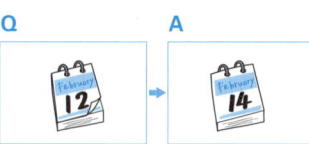

スクリプトの訳　給与明細を発行するのにどれくらいかかりますか。

(A) 3,700ドル以下です。
(B) 少なくとも2日かかります。
(C) 週に3回です。

> 🔔 **覚えておこう**
>
> 　Howで始まる疑問文には、他に How can I use this keyboard?（このキーボードをどのように使うのですか）や How do you like the new assistant?（新しいアシスタントについてどう思いますか）など、方法、状況、意見を聞くものもある。

DAY 4

解法 ⑧ 一般疑問文とその答え方をマスターしよう
Yes／No で始まる答えに注意

1 一般疑問文 （Do、Does、Did、Are、Is、Were、Have、Can、Should などで始まる疑問文）

　一般疑問文の答え方は、中学校の英語の授業では Yes, I do. や、No, I'm not. など、Yes／No で始まるもの、と習った人が多いと思われます。しかし、日常会話では Do you have an apple? に対して Yes, I do. I have an apple. などと単純に答えることは少ない上、会話の流れを理解しているかどうかが試される TOEIC では、Yes／No が含まれる選択肢が正解になることは滅多にありません。

次ページの Example 2 を見てみましょう。

設問 Is this airplane going to Birmingham?
　選択肢① Yes, it is. ⇒ ほとんど選択肢に含まれない △
　単純過ぎるので、選択肢に含まれていないと考えてよい。
　選択肢② I'm afraid that flight will depart from gate11. ⇒ **正解 ○**
　バーミンガム行きの出発ゲートを教えてあげているので正解。

2 「わかりません」は正解

　質問に対して「わかりません」と答えることがあります。逆に「わかりません」と答えられない質問文というのは、あまり思いつかないでしょう。Part 2 においては I'm not sure. や I have no idea. などが選択肢に含まれていたら、正解である場合がほとんどです。

3 質問返しのパターン

高得点ゲット！　質問に対して質問で返すのも会話の進め方として**ナチュラル**なので、正解になる。

設問 Is this airplane going to Birmingham?
　　（この飛行機はバーミンガムに行きますか）
　　選択肢① Do you have your boarding pass with you? ⇒ **正解 ○　ナチュラル**
　　　　（搭乗券は手元にありますか）
　　選択肢② Shall I ask the ground staff? ⇒ **正解 ○　ナチュラル**
　　　　（地上職員に聞いてみましょうか）
　どちらの選択肢も質問者の「バーミンガムに行きたい」という意思を汲んで質問者を助けている表現なので、正解になります。

Example 2

Mark your answer on your answer sheet.

正解：**(A)** ★★   🇬🇧▶🇺🇸

攻略法
　Is～? で始まる一般疑問文。「この飛行機はバーミンガムに行きますか」という質問から、話者が「飛行機の行き先」を尋ねているだけでなく、「バーミンガムに行きたい」という意図を察することが大事。
　(A)「この飛行機」については答えていないが、話者の乗りたい飛行機の出発ゲートを教えているので、自然な会話の流れとなり、正解。
　(B) Noと答えているが、設問文のairplaneと似た発音を含むplain omelet（プレーンオムレツ）をオーダーしていて、飛行機とは関係がなく、不正解。
　(C) Yesと答えた後、go Dutchを聞くと、どこかの都市に向かう内容に聞こえるが、go Dutchは「割り勘にする」というイディオム。会話は流れておらず、不正解となる。

スクリプト　　Is this airplane going to Birmingham?
　　　　　　　(A) I'm afraid that flight will depart from gate11.
　　　　　　　(B) No, **a plain omelet** please.
　　　　　　　(C) Yes, let's go **Dutch** today.

スクリプトの訳　この飛行機はバーミンガムに行きますか。
　　　　　　　(A) 恐れ入りますが、その飛行機は11番ゲートから出発します。
　　　　　　　(B) いいえ、プレーンオムレツをお願いします。
　　　　　　　(C) はい、今日は割り勘にしましょう。

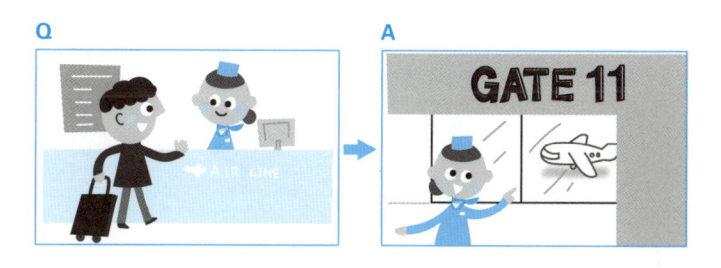

Exercises 正解と解説→p. 56

CD1 28 ～ CD1 31

1. Mark your answer on your answer sheet.　　Ⓐ Ⓑ Ⓒ

2. Mark your answer on your answer sheet.　　Ⓐ Ⓑ Ⓒ

3. Mark your answer on your answer sheet.　　Ⓐ Ⓑ Ⓒ

4. Mark your answer on your answer sheet.　　Ⓐ Ⓑ Ⓒ

CD1 32 ~ CD1 35

5. Mark your answer on your answer sheet. Ⓐ Ⓑ Ⓒ

6. Mark your answer on your answer sheet. Ⓐ Ⓑ Ⓒ

7. Mark your answer on your answer sheet. Ⓐ Ⓑ Ⓒ

8. Mark your answer on your answer sheet. Ⓐ Ⓑ Ⓒ

正解と解説

1. 正解：(B) ★★★

スクリプト
What will it take to encourage Jake to apply for the position?
(A) It will take 3 hours for me to go to the airport.
(B) You should tell him he has a good chance.
(C) At least 2 years experience in a trading firm.

スクリプトの訳
ジェイクをそのポジションに応募するように励ますにはどうすればいいですか。
(A) 私が空港に到着するのに3時間かかるでしょう。
(B) 彼には十分な可能性があることを伝えるべきです。
(C) 貿易商社での少なくとも2年の経験です。

攻略法
疑問詞What～?で始まる疑問文。「ジェイクをポジションに応募するように励ますには？」の質問に対し、(A)は質問文の文頭と似たような語群で始まっているが、結果的に「所要時間」を答えており、不適当。「彼に十分な可能性があることを伝えるべき」と、彼を励ます手段を答えている(B)が正解。(C)は応募の条件に関する質問に答える表現とも考えられるが、この質問の応答としては間違い。

落とし穴 What will it take～は「～には何が必要か」の意。～to encourage Jake～と続くので、文全体では「ジェイクを励ますのには何が必要ですか」と手段を問う疑問文となる。

- □ **encourage** 他 励ます
- □ **apply for** ～に申し込む
- □ **trading firm** 貿易商社

2. 正解：(A) ★★

スクリプト
Brooks Corporation has developed a new electric vehicle.
(A) Who would have thought such a small business could do that?
(B) I think Philips has a good choice.

56

(C) Is there someone like that?

スクリプトの訳 ブルックス社は新しい電気自動車を開発したよ。
(A) あんなに小さな企業にそんなことができるなんて、信じられない。
(B) フィリップスはよい選択肢を持っていると思います。
(C) そんな人がいるのですか。

攻略法
平叙文に答える問題。「ブルックス社が新しい電気自動車を開発した」という何気ない語りかけに対してここでは、(A)は「一体、誰があんな小さな企業にそんなことをできると予期できただろうか！」と質問を返しているパターンが正解である。(B)は質問文と同様に固有名詞が出てきているが、会話が成立しておらず、不正解。(C)も「そんな人がいますか」と質問しているが、「人」の話をしている訳ではないので間違い。

落とし穴 平叙文に答える問題は、話者の状況を想像する。独り言に対して質問で返すのも会話としてナチュラルならば正解。

☐ **develop** 他 開発する
☐ **vehicle** 名 自動車

3. 正解：(B) ★

スクリプト Where can I find the storage room?
(A) I bought them from a wholesale dealer.
(B) It's on the third floor, next to the counseling room.
(C) I went to Egypt with my coworker.

スクリプトの訳 備品室はどこにありますか。
(A) 私はそれらを卸売業者から買いました。
(B) 3階のカウンセリングルームの隣です。
(C) 同僚とエジプトに行きました。

攻略法
疑問詞Where〜?で始まる疑問文。Where〜?（どこ？）に対して備品室の場所を答えている選択肢が正解になる。(A)は「卸売業者から買いました」と、仕入れ先を答えており、不正解。備品室の階と「カウンセリングルームの隣」と答えている(B)が正解。(C)は「エジプトに行きました」と過去の旅行先を答えており、不適当。

> 落とし穴　場所に関する質問だが、(C)のように「国名」を答えるのは「備品室」の場所としては不適当（この場合は時制も質問文と一致していない）。

- □ **storage room**　備品室
- □ **wholesale**　形 卸売りの
- □ **counseling**　名 カウンセリング
- □ **coworker**　名 同僚

4. 正解：(C) ★

スクリプト
The saxophonist gave a terrific performance.
(A) My nails are probably too long.
(B) The service at the oyster bar was quite terrible.
(C) I'm glad you liked it.

スクリプトの訳
そのサックス奏者は素晴らしい演奏をしました。
(A) 私の爪はおそらく長すぎます。
(B) そのオイスターバーのサービスはかなりひどかったです。
(C) 気に入ってくれて良かったです。

攻略法
平叙文に答える問題。質問文では「サックス奏者の演奏が素晴らしかった」と、感想を述べている。terrificは「素晴らしい、ものすごい」の意。(A)では会話が流れず、不正解。(B)は質問文のterrificと発音が似ているが、ほぼ反対の意味のterrible（ひどい）を用いており、質問に対する答えとしても不適当。「気に入ってくれて良かった」と答えている(C)が正解。

> 落とし穴　terrific、terribleなどの形容詞の意味の違いに注意！

- □ **saxophonist**　名 サックス奏者
- □ **terrific**　形 素晴らしい
- □ **oyster**　名 カキ
- □ **terrible**　形 ひどい、悪い

5. 正解：(B) ★

スクリプト
How soon are you taking maternity leave?
(A) He said he will leave it to you.
(B) In 3 weeks.
(C) It's quarter past 7.

スクリプトの訳
あとどれくらいで産休に入るのですか。
(A) 彼はあなたに任せますと言いました。
(B) 3週間以内です。
(C) 7時15分です。

攻略法
疑問詞How〜?で始まる疑問文。「あとどれくらいで産休に入るか」に対して(A)は「時間の長さ」に関して答えておらず、leaveの語のみが一致する音声のトラップである。「あと3週間です」が「産休に入る長さ」として適当であるので(B)が正解。(C)は時間を答えているが、「現在の時刻」についての応答であり、この質問には不適当。

落とし穴
How soon〜?は「どれくらい早く?」の意。

☐ **maternity leave** 産休

6. 正解：(A) ★★

スクリプト
Do you mind if I borrow your car again?
(A) I don't if you fill it up this time.
(B) Yes, I'd love to.
(C) The red convertible was parked outside.

スクリプトの訳
君の車をもう一度借りても大丈夫かな?
(A) 今回はガソリンを入れてくれれば大丈夫だよ。
(B) はい、喜んでそうします。
(C) その赤いコンバーチブルが外に止まっていました。

> 攻略法

Do you mind if I～? で始まる相手の許可を求める疑問文。直訳すると、「あなたの車をもう一度借りたらあなたは気にしますか」。(A)は「気にしません。もしあなたが今回はガソリンを入れてくれれば」と答えていて、正解。(B)は合っているように聞こえるが、Do you mind～の文にYesで答えると「はい、気にします」の意味になり、「許可していない」ことになる。その後にI'd love toが続くのも不適当。(C)は「車」の話をしているが、「その赤いコンバーチブル」がどの車を指すのかが不明。

> 落とし穴

Do you mind if～? の疑問文の意味は、慣れるまで「～したら気にしますか」と、直訳して確かめてみよう。

☐ **fill up** 満タンにする、いっぱいに満たす
☐ **convertible** 名 コンバーチブル

7. 正解：(C) ★★

> スクリプト

I would be glad if you accept the new position in Alaska.
(A) I visited my family in Florida.
(B) I think he is just hired.
(C) Let me think it over.

> スクリプトの訳

アラスカでの新しいポストを受け入れてくれるとありがたいのですが。
(A) 私はフロリダの家族を訪れました。
(B) 彼は最近雇われたばかりだと思います。
(C) じっくり考えさせてください。

> 攻略法

平叙文に答える問題。平叙文に答える問題では、**話し手の状況を想像する**と解答しやすい。「アラスカでの職を受け入れてくれるとうれしい」と言っているので、上司から部下への語りかけだと推測できる。(A)は「フロリダの家族のところに行った」と答えているが、「職を受け入れるかどうか」について答えていないので不正解。(B)は「彼」がどの人物を指すのか不明。(C)「じっくり考えさせてください」が正解である。

☐ **hire** 他 雇う
☐ **think over** 熟考する

8. 正解：(A)

スクリプト
When will Peter quit his job?
(A) How should I know?
(B) He is working in the garden.
(C) He needs to be at the office by 9:00 A.M.

スクリプトの訳
ピーターは仕事をいつ辞めるのですか。
(A) 僕は知らないよ。
(B) 彼は庭で働いています。
(C) 彼は朝9時までにオフィスにいる必要があります。

攻略法
疑問詞When〜?で始まる疑問文。「ピーターはいつ仕事を辞めますか」に対して、「わからない」と答えている(A)が正解。(B)は「場所」について答えており、不正解。When〜?に対して(C)には時刻が含まれているが、「彼がオフィスにいるべき時」について答えている。仮に「9:00 A.M.」だけを聞き取ったとしても「ピーターが仕事を辞める」時が「朝9時」では応答として不適切。

落とし穴 Part 2では、質問に対して「わかりません」は正解である場合が多い。

□ **quit** 他 辞める

DAY 5

解法 ⑨ 否定疑問文／付加疑問文とその答え方に習熟しよう
否定疑問文では2度ひっかかる

1 否定疑問文 (Don't、Doesn't、Didn't、Aren't、Isn't、Weren't、Haven't、Can't、Shouldn'tなどで始まる否定疑問文)

　日本人の英語学習者の多くが英語の否定表現を苦手としていますが、**TOEICのPart 2においては疑問文が否定形で始まったら、「～じゃないの？」という訳がすぐに思い浮かぶようにしておけば、設問を解きやすくなります。**

2 ～じゃないの？

　否定疑問文、Don't～、Doesn't～?、Didn't～?、Aren't you?、Isn't～?、Weren't～?、Haven't～?、Can't～?、Shouldn't～?などには**「私はこういう解釈だけど、あなたは違うの？」というニュアンスが含まれています。内容によりますが、多少、不満や相手を責める気持ちなども含まれていることをイメージできれば否定疑問文の第一段階はクリア。**

3 言ったらYes、言わなかったらNo

　否定疑問文の問題で学習者がひっかかるポイントの2つ目はYes／Noの答え方。慣れていないと戸惑いますが、答え方は一般疑問文の答え方と同じです。

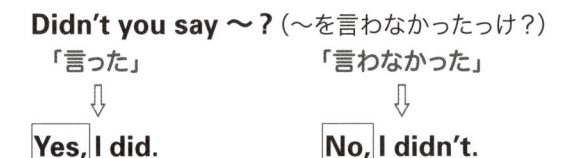

Didn't you say ～?（～を言わなかったっけ？）

「言った」　　　　　　　　「言わなかった」
　⇩　　　　　　　　　　　　⇩
Yes, I did.　　　　　　**No,** I didn't.

　質問が付加疑問文、You said you would be able to lose more weight by the end of the month, didn't you?となっても上記と同じで答え方になります。**つまり英語の疑問文に答えるときには一般疑問文でも否定疑問文でも付加疑問文でも「言ったらYes、言わなかったらNo」と考えましょう。**

4 Yes、No以外の答え方

　実際のPart 2の問題では、Example 1の正解例のように「言ったか言わないか」については答えずに、「今は状況が変わったから必要がなくなった」というスタンスの正解パターンも多いことを覚えておきましょう。

Example 1

Mark your answer on your answer sheet.　　Ⓐ Ⓑ Ⓒ

正解：(C) ★★

攻略法

　Didn't~? で始まる否定疑問文。一般疑問文の Did you say~? であれば、あなたが言ったか、言わなかったかを中立的な立場で聞いているだけ。しかし、否定疑問文では「私はあなたが月末までに減量をすると思っていたのに、どうして減量できていないの？　そう言わなかったっけ？」というニュアンスが含まれていることを汲み取ろう。

　(A) No で答えているが、lose という質問文と同じ単語を使っているだけ。「道に迷うかどうか」は問われていないので不正解。

　(B) wanted、see がそれぞれ質問文の weight、say と似て聞こえるかもしれないが、「彼女」の指す人物が不明であり、不正解。

　(C)「ぜひそうしたい」という意向を示しているので正解。

スクリプト
Didn't you say you would be able to lose more weight by the end of the month?
(A) No, I didn't **lose** the way.
(B) She is just the person I **wanted** to **see**.
(C) That's what I hope to do.

スクリプトの訳
月末までにもっと体重を落とすと言っていませんでしたか。
(A) いいえ、私は道に迷っていません。
(B) 私が会いたかったのは、まさに彼女です。
(C) ぜひそうしたいと思っています。

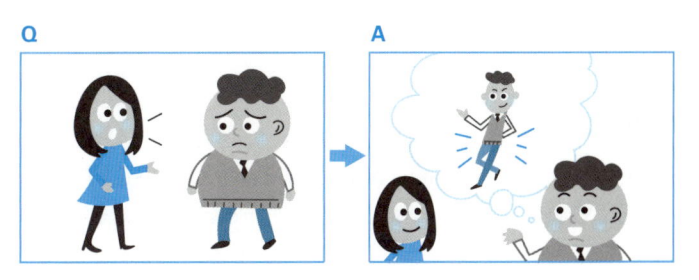

DAY 5

解法⑩ 選択疑問文の正解パターンを見抜こう
両方選んでも、選ばなくても正解

　質問文が「AかBのどちらか」の選択疑問文である場合は、設問が長めである上に、正解には様々なパターンがある。それぞれの正解パターンを確認しましょう。

1 どちらかを選んでいる場合は正解（ただし、表現を変えている）

　選択疑問文に対してAかBのどちらか一方を選んでいる選択肢は、もちろん正解。しかし、ほとんどの選択肢は、質問文とは別の表現になっている。Example 2は「もう決めたか」もしくは「もう一度試着するか」のうち、前者を「これにします」と言い換えた(A)が正解。

2 「どっちでもいい」「どっちも違う」「両方OK」は正解

　実際にレストランでのウェイターの質問を例に見てみてください。「どっちでもいい」「どっちもいらない」「両方注文する」は正解になります。

設問 Would you like a sandwich or a strawberry tart?
　　（サンドイッチがいいですか、それともストロベリータルトにしますか）

選択肢① **Either** would be great. ⇒ 正解 ○
　　　（**どちらも**おいしそうです）

選択肢② **Neither**. I'd like a glass of lemonade. ⇒ 正解 ○
　　　（**どちらも結構**です。レモネードを1杯ください）

選択肢③ I'll have **both** of them. ⇒ 正解 ○
　　　（**両方**注文します）

3 「まだ決めていません」も正解

　Example 2の選択肢にI haven't decided yet.（まだ決めていません）があったら、正解。

4 Yes、Noは不正解

　選択疑問文の設問に対して**Yes、Noで始まる選択肢は不正解**であることがほとんど。しかし、2者のどちらかに関してYes／Noで反応している場合は状況をよく把握してから正解としましょう。Example 2では、Yes, may I try this on again?（はい、もう一度着てみていいですか）という選択肢は正解となります。

Example 2

Mark your answer on your answer sheet. Ⓐ Ⓑ Ⓒ

正解：**(A)** ★★★ 🇨🇦▶🇺🇸

攻略法

設問が選択疑問文のパターン。「もう決めましたか」の後、「もしくはもう一度そのスーツを試着しますか」とあるので、販売員から顧客への質問であることが想像できる。

① (A) Yesを用いない答え方。「もう決めました」の内容を「これにします」と言い換えており、正解。

(B) 設問と同じhaveが使われており、shirtがsuitと似ていて惑わすパターン。設問と同じ単語や、似た音が含まれていたらまずトラップだと疑おう。また、「在庫がございません」は顧客でなく、販売員の台詞なので不正解。

(C) 質問文のWould you～?をレストランのウェイターの質問だと勘違いした場合に選んでしまいそうな誤答選択肢。

スクリプト

Have you already decided, or would you like to try on the suit again?

(A) I'll take this one.
(B) Sorry, we don't have the shirt in stock.
(C) I would like a sandwich, please.

スクリプトの訳

もうお決めになりましたか、それともそのスーツをもう一度試着してみますか。

(A) これに決めます。
(B) 申し訳ありませんが、そのシャツは在庫がございません。
(C) サンドイッチを注文します。

Exercises 正解と解説→ p. 68

CD1 38 〜 CD1 41

1. Mark your answer on your answer sheet.　　Ⓐ Ⓑ Ⓒ

2. Mark your answer on your answer sheet.　　Ⓐ Ⓑ Ⓒ

3. Mark your answer on your answer sheet.　　Ⓐ Ⓑ Ⓒ

4. Mark your answer on your answer sheet.　　Ⓐ Ⓑ Ⓒ

CD1 42 ~ CD1 45

5. Mark your answer on your answer sheet. Ⓐ Ⓑ Ⓒ

6. Mark your answer on your answer sheet. Ⓐ Ⓑ Ⓒ

7. Mark your answer on your answer sheet. Ⓐ Ⓑ Ⓒ

8. Mark your answer on your answer sheet. Ⓐ Ⓑ Ⓒ

正解と解説

1. 正解：(C) ★

スクリプト
Where is the best place to buy a flower vase?
(A) The official report is based on statistics.
(B) How about buying a bouquet of orange gerberas?
(C) There's a store 4 blocks down.

スクリプトの訳 花瓶を買うのに一番良い場所はどこですか。
(A) その公式発表は統計に基づいています。
(B) オレンジのガーベラの花束はいかがですか。
(C) 4ブロック先に店があります。

攻略法
疑問詞Where〜?で始まる疑問文。「どこ〜?」と、花瓶を買う場所を聞いている。(A)は質問文のvase（花瓶）と似た発音のbaseを用いたトラップ。(B)は「花瓶」と関連した「花束」を用いて「花の種類」について答えているが、質問に答えておらず、不正解。(C)は店の場所を答えているので正解となる。

- □ **vase** 名 花瓶
- □ **statistics** 名 統計
- □ **bouquet** 名 花束
- □ **gerbera** 名 ガーベラ

2. 正解：(A) ★★

スクリプト
Why don't you renew your subscription?
(A) That all depends on my boss.
(B) The broadcast reported a detailed description of the incident.
(C) Because I don't want to read the magazine.

スクリプトの訳 購読を更新したらいかがですか。
(A) すべて上司次第です。
(B) その放送は事件についての詳細を報道した。

(C) なぜならその雑誌を読みたくないからです。

> **攻略法**

Why don't you〜? で始まる、提案の文。Why don't you〜? は「〜しないのですか」と提案している。「購読を更新したらどうですか」に対して「更新に際して決定権が上司にある」と言っている (A) が正解。(B) は subscription（購読）と似た発音の description（描写、説明）を用いているが、質問文と関連がないので不正解。(C) は Because〜 と答えており、「購読」に関連しそうな内容であるが、「理由」を聞いている訳ではないので間違い。

> **落とし穴** Why don't you〜? に対して Because〜 で答えるのは典型的な間違い。

- □ **renew** 他 更新する
- □ **subscription** 名 購読
- □ **broadcast** 名 放送
- □ **description** 名 説明
- □ **incident** 名 事件

3. 正解：(B) ★

> **スクリプト**
> Kate, would you vacuum the floor?
> (A) This is my floor.
> (B) Okay, can I do it after a break?
> (C) That picture is taken near Buckingham Palace.

> **スクリプトの訳**
> ケイト、床に掃除機をかけてくれる?
> (A) ここが私の降りる階です。
> (B) いいわよ、休憩の後でもいいかしら?
> (C) あの写真はバッキンガム宮殿の近くで撮影されました。

> **攻略法**

Would you〜? で始まる依頼文。ケイト、と呼びかけた後に「床に掃除機をかけてくれる?」と依頼している。(A) はエレベーターで降りる人が他の人にかける言葉。「いいですよ」と依頼を受けてから「休憩の後でもいい?」と聞いている (B) が正解。(C) That picture is〜（あの写真は〜）と聞こえた時点で不正解であるが、vacuum と Backingham が似た音だと感じる場合にひっかかるトラップである。

- □ **vacuum** 他 掃除機をかける
- □ **break** 名 休憩
- □ **Buckingham Palace** バッキンガム宮殿

---

4. 正解：(A) ★

スクリプト

How often do you shut down your computer?
(A) Every time after I use it.
(B) Once and for all, I don't like green peppers.
(C) There is something wrong with the shutter of my camera.

スクリプトの訳 あなたはどれくらいの頻度でコンピュータの電源を切るのですか。
(A) 毎回、使った後に切ります。
(B) きっぱり言うと、私はピーマンが嫌いです。
(C) 私のカメラのシャッターはどこか故障しています。

攻略法

疑問詞How〜?で始まる疑問文。「どれくらい頻繁にコンピュータをシャットダウンしますか」と聞いている。(A)は「毎回、使った後」と頻度を答えているので正解。(B)は冒頭のOnceを聞いてすぐに「1度」と解釈し、誤答しないよう注意。「ピーマンが嫌い」は質問と無関係。(C)質問文のshut downとshutterの音が似ているが、「カメラのシャッターが故障している」では会話が成立せず、不正解。

落とし穴 How often〜?は「どれくらいの頻度で?」の意。

- □ **once and for all** きっぱりと
- □ **green pepper** ピーマン
- □ **shutter** 名 シャッター

---

5. 正解：(C) ★★

スクリプト

Wasn't there any explanation before the field study?
(A) They are still working energetically.
(B) I am good at science and mathematics.
(C) There was, but unfortunately I missed it.

> **スクリプトの訳** その現地調査の前に説明はなかったのですか。
> 　　　　　　(A) 彼らはまだ熱心に働いています。
> 　　　　　　(B) 私は科学と数学が得意です。
> 　　　　　　(C) ありました。でも残念ながら聞くことができませんでした。

> **攻略法**

Wasn't～? で始まる、否定疑問文。field study は「現地調査」の意。「説明はなかったのですか」と聞いている。質問文は肯定形に戻すと There was～（～があります）の構文。(A) は They are～（彼らはまだ熱心に働いています）と言っており、質問に答えておらず不正解。質問文の study を「勉強」と解釈してしまうと science（科学）と mathematics（数学）を含む (B) に誤答する可能性がある。「ありましたが、聞けませんでした」と答えている (C) が正解。

> **落とし穴** 「～なかったのですか？」の否定疑問文に対しては、あったら肯定、なかったら否定で答える。

- □ **explanation** 名 説明
- □ **energetically** 副 熱心に
- □ **mathematics** 名 数学
- □ **unfortunately** 副 残念ながら
- □ **miss** 他 ～しそこなう、逃す

6. 正解：(B) ★★

> **スクリプト**　　Haven't we met before?
> 　　　　　　(A) Yes, I will attend a meeting this afternoon.
> 　　　　　　(B) No, I don't believe we have.
> 　　　　　　(C) He looked run-down.

> **スクリプトの訳** 私たちは以前にお会いしたことはなかったですか。
> 　　　　　　(A) はい、私は今日の午後ミーティングに参加します。
> 　　　　　　(B) はい、（英語では No）ないと思います。
> 　　　　　　(C) 彼は疲れていたようでした。

> **攻略法**

Haven't～? で始まる、否定疑問文。普通の疑問文は中立な立場で「会ったことはありますか」と質問をするが、否定疑問文では「お会いしたことはなかったですか」と、「会ったような気もしますが…」のような驚き、多少の疑いの気持ちが含まれている。(A) は「午後のミーティングに参加します」と言っており、質問の答えとして不適当。(B) は直訳する

と「会っていません。私たちが会ったことがあるとは思いません」と言っているので、正解。(C) は He が誰を指すのか不明。会話が成立しないので不正解。

> **落とし穴** 否定疑問文には多少、驚きの感情が含まれている。

□ **attend** 他 参加する
□ **run-down** 他 疲れた

---

7. 正解：(B) ★★

スクリプト It's been 7 hours since we departed Toronto.
(A) How often do you go to the school library?
(B) Yes, my back is getting stiff.
(C) I'll be right there.

スクリプトの訳 トロントを出てから7時間が経ちました。
(A) あなたはどれくらいの頻度で学校の図書館に行きますか。
(B) そうですね。腰が痛くなってきました。
(C) すぐそちらに行きます。

攻略法
平叙文に答える問題。「トロントを出てから7時間が経ちました」と言っているので、この会話はおそらく、飛行機の中か乗り物で移動中に行われているものだと推測できる。したがって(A)「どのくらいの頻度で図書館に行きますか」では意味を成さない。(B) は話者のやや不快な感情に同意していて、会話が成立しているので正解。2人は今、近くに座っていると思われるが、(C) は「すぐそちらに行きます」と言っているので不正解。

> **落とし穴** 平叙文に答える問題では、その語りかけをどのような状況で、どんな気持ちで発言しているか想像することが必要。

□ **depart** 他 (〜を) 出発する
□ **stiff** 形 (筋肉・関節が) 凝った

8. 正解：(C) ★

スクリプト
Do you have this shirt in a different color?
(A) Please tell me the name of the caller.
(B) He is shorter than his father.
(C) We also have this in blue but the pocket is smaller.

スクリプトの訳 このシャツで違った色はありますか。
(A) 電話をかけてきた人の名前を教えてください。
(B) 彼は彼の父親よりも背が低いです。
(C) このシャツの青色はありますがポケットが小さいです。

攻略法
Do you～?で始まる、疑問詞を使わない疑問文。(A)では質問文のcolorと似た発音のcallerと言っているが、電話の取り次ぎをしている状況ではないので不正解。(B)もshirtとshorterの発音が似ているが、「背の高さ」に関しては問われていない。「このシャツの違った色はありますか」に対して(C)は「青がありますがポケットが小さいです」と答えているので正解。

□ **caller** 名 電話をかける人、発信者

DAY 6

解法⑪ 提案／勧誘／依頼の表現をマスターしよう
Why don't you ～? の答えに「なぜなら～」は間違い

　ここでは「提案」「勧誘」「依頼」の文とその答え方を見てみよう。すべて疑問文の形をとりますが、実質は「提案」「勧誘」「依頼」の表現であることに注意してください。

勧誘／提案	**Why don't you ～?**　～しないのですか　（なぜ～）	
	Would you like to ～?　～しませんか	
	Let's ～?　～してもいいですか	
	What about ～? / How about ～?　～するのはいかがですか	
	Shall we ～?　一緒に～しませんか	
依頼	**Could you ～?**　～していただけますか（～する能力がありますか）	
許可	Would you mind ～? / Do you mind if I ～?　～してもいいですか	
答え方	Not at all. / Sure, no problem.　いいですよ（気にしませんよ）	

1　「もちろんですよ!」「いいですね!」は正解

　Example 1を見てみましょう。設問は「ロビーに行ってハリス先生の話し相手をしませんか」と勧誘しているので、That's fine with me.と応じている(A)が正解となります。

「もちろん!」「いいですね!」の正解パターンの表現
- □ Sure.　　　　□ That's great!　　　□ No problem. I'd love to.
- □ That sounds like a good idea.　　□ That's fine by me.
- □ That's okay with me.

2　「遠回しに拒絶する」、「質問で返す」は正解

　Example 1で、I have to hurry and call my client.（急いでお客さんに電話しないといけないのです）がもし選択肢に含まれていたら、遠回しに拒絶を表していて正解。
　また、Is he the doctor from Olson Memorial Hospital?（彼はオルソン記念病院の医師ですか）と質問で返す表現も正解となります。

Example 1

Mark your answer on your answer sheet. Ⓐ Ⓑ Ⓒ

正解：(A) ★★　　🇦🇺▶🇨🇦

攻略法

Why don't we～? で始まる提案、勧誘の文。

1 (A)「いいですよ」と、提案に対して賛成しているので正解。

(B) Why don't you～に対して最初の語、why にのみ焦点を当てていると、why と because が対応しているように聞こえてしまうので注意。典型的な不正解の選択肢。

また、質問文の lobby から連想される reception desk（受付係）という単語を用いて惑わすパターンとなっており、不正解。Keep～ company は「～と付き合いをする、話をする」の意。

(C)のような質問文と似た発音を含むパターンにも慣れておこう。accompany と company が似ているので、まず不正解では？と疑うこと。「ボディーガードに付き添ってもらった」との内容から不正解。

スクリプト

Why don't we go to the lobby and keep Dr. Harris company?

(A) **That's fine with me**.

(B) Because I haven't dropped in at the reception desk.

(C) He was **accompanied** by a bodyguard.

スクリプトの訳　ロビーに行ってハリス先生の話し相手をしませんか。

(A) それでもいいですよ。
(B) なぜなら、まだ受付デスクに立ち寄っていないからです。
(C) 彼はボディーガードに付き添ってもらいました。

DAY 6

解法⑫ 設問が疑問文の形をとらないパターンを攻略しよう
設問が疑問文でなくとも会話は成り立つ！

　Part 2最後の解法は、設問が疑問文の形をしていないパターンへの対処法です。この場合、「疑問詞だけを聞き取る」など、聞き取りポイントを絞ることができませんが、Part 2全般のテーマである**「会話の流れ」を捉え、質問文の話者の状況を想像する**ことがマスターできていれば大丈夫。

1 1人でつぶやきながら、意見・感情を表す場合は正解

　Example 2では、女性が「私たちのアパートの大家さんと会えてよかったわ」とつぶやきながら感情を示しています。一緒に住んでいる親しい人物に何気なく話しかけている状況を想像しましょう。(B)のように同意している選択肢は正解。

2 設問に対して質問で返答する場合は正解

　Example 2の設問に対して、Did you notice that she keeps a puppy in the yard?（彼女が庭で子犬を飼っているのに気付いた？）と、質問で返す場合は正解となります。

3 報告、情報を与えている場合は正解

　報告、情報を与えている設問に対する答え方です。

設問 Mr. Arnold is giving a special course in stress management tomorrow.
（アーノルド氏がストレス管理に関する特別講義を明日するそうですよ）

選択肢① Really? I don't want to miss that. ⇒ 正解 ○
（本当？　絶対、逃したくありません）

選択肢② Is he a psychology teacher? ⇒ 正解 ○
（彼は心理学の先生ですか）

選択肢③ Then, I'll pick you up at noon. ⇒ 正解 ○
（それなら正午に迎えに行きますよ）

Example 2

Mark your answer on your answer sheet.   Ⓐ Ⓑ Ⓒ

正解：**(B)** ★★   🇨🇦 ▶ 🇺🇸

攻略法

平叙文に答える問題。「アパートの大家さんと会えて良かった」という設問に対して適切に応答している選択肢を選ぶ。

(A) 設問のアパートの話に対して、ホテルの予約の話をしているので不正解。
(B)「自分たちは上手くやって行けると思う」と同意しているので正解。
(C) 設問のownerと発音の似たhonorを用いて誤答を誘っており、不正解。

スクリプト

It was such a pleasure to meet the owner of our apartment.

(A) I reserved a twin room for a week.
(B) Yeah, I guess we can get along with her.
(C) It is a great **honor** to meet you.

スクリプトの訳

アパートの大家さんと会えてよかったわ。

(A) ツインルームを1週間予約しました。
(B) そうだね、ぼくたちは彼女と上手くやっていけると思うよ。
(C) あなたにお会いできて大変光栄です。

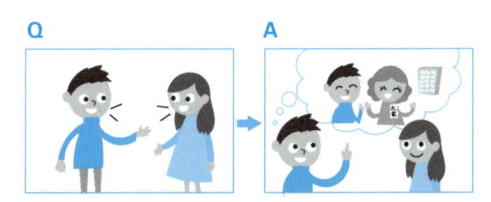

罠⑥ ▶ 独り言に聞こえるが、質問している場合の設問パターンに注意しよう。

設問 I'm wondering why you canceled your magazine subscription.
（どうしてあなたは雑誌の定期購読をキャンセルしてしまったんでしょう？）

選択肢① I'll take a newspaper instead of the magazine. ⇒ 正解 ○
（雑誌をやめて新聞を取るようにします）

選択肢② Haven't you told me it was a waste of money? ⇒ 正解 ○
（君がお金の無駄だと言わなかったっけ？）

Exercises 正解と解説→ p. 80

CD1 48 ~ **CD1 51**

1. Mark your answer on your answer sheet. Ⓐ Ⓑ Ⓒ

2. Mark your answer on your answer sheet. Ⓐ Ⓑ Ⓒ

3. Mark your answer on your answer sheet. Ⓐ Ⓑ Ⓒ

4. Mark your answer on your answer sheet. Ⓐ Ⓑ Ⓒ

CD1 52 ~ CD1 55

5. Mark your answer on your answer sheet. Ⓐ Ⓑ Ⓒ

6. Mark your answer on your answer sheet. Ⓐ Ⓑ Ⓒ

7. Mark your answer on your answer sheet. Ⓐ Ⓑ Ⓒ

8. Mark your answer on your answer sheet. Ⓐ Ⓑ Ⓒ

正解と解説

1. 正解：(B) ★

スクリプト
Who's on the line?
(A) Tell her I'll call back.
(B) It's for you, from a printing house.
(C) You should keep the children in line.

スクリプトの訳 誰からの電話ですか。
(A) かけ直すと彼女に伝えてください。
(B) あなたに、印刷所の人からよ。
(C) 子供たちを1列に並ばせておくべきです。

攻略法
疑問詞Who〜?で始まる疑問文。Who's on the line?は直訳すると「電話のライン上にいるのは誰ですか」。つまり、電話を取っていない人が、電話を取った人に対して、電話の相手は誰かと聞いている。(A)は「かけ直すと言ってください」と、電話を取っていない方の人がもう一度発言していることになるので、間違い。(B)は「あなた宛てに」と質問に答えていないように思えるが、後から「印刷所からです」と付け加えているので正解である。(C)はlineに惑わされないように注意。会話が成立せず、不正解。

落とし穴 誰が誰に質問しているのかを想像しよう。

☐ **on the line**　電話に出て
☐ **call back**　電話をかけ直す
☐ **in line**　1列に並んで

2. 正解：(C) ★★

スクリプト
I'll have 2 hamburgers, a coconut muffin and a large glass of grape juice.
(A) May I take your order?
(B) Add more milk and flour and make sure there are no lumps.
(C) You'll get fat if you eat all of that.

スクリプトの訳 私はハンバーガーを2つと、ココナッツマフィンとグレープジュースのLサイズにします。
(A) ご注文はお決まりですか。
(B) 牛乳と小麦粉をもっと加えて、ダマがないことを確認してください。
(C) それを全部食べると太りますよ。

攻略法
平叙文に答える問題。話者は「ハンバーガー2つとマフィンとグレープジュースのラージ」と注文している。その後に(A)のように「注文をとりましょうか」と店員が話しかけるのは明らかに間違いであるが、試験本番中に焦ってマークしないように注意。(B)は質問文と同様、食品が文に含まれるが、add（加える）、lumps（かたまり）などの語から、料理の工程についての説明だとわかるので不正解。たくさん注文している設問文を受けて、「全部食べると太りますよ」と応答している(C)が正解である。

落とし穴 ぼんやりと聞いていると発言の順番が前後していることに気付かないことがある。どちらが先に質問したのか、間違えないように注意しよう。

- □ **muffin** 名 マフィン
- □ **flour** 名 小麦粉
- □ **lump** 名 かたまり

3. 正解：(B)

スクリプト
Do you know whether he is going to finish off the financial statement today?
(A) The weather is humid today.
(B) I'm sure he will.
(C) I don't know where Finland is.

スクリプトの訳 彼が財務報告書を今日仕上げるかどうかわかりますか。
(A) 今日の天候は湿度が高いです。
(B) 彼は必ず仕上げると思います。
(C) フィンランドの場所を知りません。

攻略法
Do you〜?で始まる、疑問詞を使わない疑問文。「彼は今日〜するかどうか知っていますか」と聞いている。(A)は最後の単語todayのみが質問文と一致する。間違いやすいので注意。「彼は必ず仕上げると思います」と言っている(B)が正解。質問文のfinish off

やfinancialのfの音から(C)のFinlandにもfの音が共通していることで混同をさせようとしている。

落とし穴 質問の最後の語と選択肢の最後の語が同じ場合、内容にかかわらず、発音だけが耳に残りやすい。間違ってマークしてしまうことが多いので注意しよう。

- □ **finish off**　仕上げる
- □ **statement**　名 報告書
- □ **humid**　形 湿気のある

---

4. 正解：(B) ★★　🇬🇧▶🇺🇸　CD1-51

スクリプト
How is your job hunting coming along?
(A) You can get started right now.
(B) Well, it's progressing.
(C) To Los Angeles.

スクリプトの訳　就職活動は進んでいる?
(A) すぐ始めていただいてかまいません。
(B) そうですね。進んでいますよ。
(C) ロサンゼルスに行きます。

攻略法
疑問詞How～?で始まる疑問文。How～?を用いて就職活動の状況を聞いているのに対し、(A)は活動状況について答えておらず、相手に「始めてください」と言っているが、何を始めるのかが不明。(B)は「進んでいます」と状況を答えているので正解。質問文のcomingからどこかに行くことを想像してしまうと(C)「ロサンゼルスです」に誤答する可能性がある。

- □ **job hunting**　就職活動
- □ **come along**　進む、進行する
- □ **progress**　自 進行する、はかどる

---

5. 正解：(C) ★★　🇺🇸▶🇨🇦　CD1-52

スクリプト
We are planning to try and merge with one of the beverage giants.

(A) There are a lot of notices on the bulletin board.
(B) The plastic bottle is too big.
(C) Mr. White, I don't think it'll succeed.

スクリプトの訳 我々は大手飲料メーカーと合併しようとしています。
(A) 掲示板にはたくさんのお知らせがあります。
(B) そのペットボトルは大きすぎです。
(C) ホワイトさん、それが上手くいくとは思いませんよ。

攻略法
平叙文に答える問題。「私たちは飲料メーカーと合併しようとしている」という普通の語りかけに対して、(A)の応答は関連がないので間違い。(B)はbeverageから連想されるplastic bottle、giantと意味の似ているtoo bigが含まれているが、「ペットボトルが大きすぎる」では「合併」の話に対する答えにならない。「それが上手くいくとは思いません」と意見を述べている(C)が正解である。

□ **merge** 自 合併する
□ **beverage** 名 飲料
□ **bulletin board** 名 掲示板
□ **succeed** 自 成功する

6. 正解：(A) ★★

スクリプト Where should I go to speak with someone about my insurance policy?
(A) Ms. Adams will explain it to you.
(B) Our immediate supervisor is from Liverpool.
(C) Sam is an apple polisher.

スクリプトの訳 保険証券についてどこで話したらいいでしょうか。
(A) アダムス氏がご説明します。
(B) 直属の上司はリバプール出身です。
(C) サムはおべっかを使う人間です。

攻略法
疑問詞Where〜?で始まる疑問文。「どこ？」と聞いているが、場所を知りたいのではなく、

「どこの誰と話せば保険証券についてわかるのか」を知りたい。「アダムス氏がご説明します」と答えている(A)が正解。(B)「直属の上司」は質問と関連がなく、不正解。(C)は「サムはおべっかを使う」と言っているが、「サム」の指す人物がわからないので間違い。

落とし穴 Part 2の出題の中心は「会話の流れ」をつかむこと！ Where〜?に対し、「場所」だけが答えだとは限らない。

- **insurance policy** 保険証券
- **immediate** 形 直接の
- **supervisor** 名 上司、監督者
- **apple polisher** おべっかを使う人、ご機嫌取り

7. 正解：(B) ★

スクリプト May I place an order over the phone?
(A) The events are described in chronological order.
(B) Sure, your name and address, please.
(C) That place was beautiful and sunny.

スクリプトの訳 電話で注文をしてもいいですか。
(A) 出来事は時系列で描写されています。
(B) もちろん、お名前とご住所をお願いします。
(C) その場所はきれいで、天気も良かったです。

攻略法
May I〜?で始まる依頼文。「電話で注文をしてもよいですか」に対して(A)は質問文のorder（注文）が異なる意味のorder（順番）として用いられており、間違い。(B)は「もちろん」と答えてから実際に名前と住所を尋ね、注文の手続きを進めているので正解。(C)は質問文のplace（[注文を]出す）をplace（場所）の意味で用いているトラップである。

落とし穴 order, placeなど、同じつづりの単語が、質問文と選択肢で違った意味や品詞で用いられていることに注意。

- **place** 他 （注文を）出す
- **describe** 他 描写する
- **chronological** 形 年代順の

8. 正解：(C) ★

スクリプト
Can you watch the final game with your cell phone?
(A) It will be difficult for our team to win the tournament.
(B) That old model is not selling very well.
(C) Of course, the picture is really clear.

スクリプトの訳
携帯で今日の最終試合を見ることができますか。
(A) 我々のチームがトーナメントに勝つことは難しいでしょう。
(B) その古い型はあまり売れていません。
(C) もちろん、画面がきれいですよ。

攻略法
Can you〜?で始まる疑問文。「あなたの携帯電話で最終試合を見ることができますか」と「可能かどうか」について質問している。(A)は「トーナメントに勝つのは難しい」と答えており、会話が流れておらず、不正解。(B)はThat old modelが何を指すのかが不明。「もちろん」と答えた後に「画面がきれいです」と追加情報を与えている(C)が正解となる。

☐ **cell phone** 携帯電話

コラム❶
マークシートを効率良く塗る方法

Q: 音声を聞きながら (B) が不正解だとわかったら問題用紙にバツを書いてはいけませんか。

A: TOEIC 受験の際の決まりごとに「テスト中、問題用紙への書き込みが禁じられている」というのがあります。例えば、Part 1 の音声を聞きながら (A) が間違いだと思ったら、問題用紙にまず「×」を書くという行為は、練習中によく見受けられますが、本番では禁止事項です。

例えば、「(B) が正解だと思っているけれども、後から消しゴムを使うのは嫌なので、(D) まで全部聞いて解答を確定してから、(B) を塗りたいと思っている場合」は、(B) を聞いて「正解だ」と思ったらマークシートの (B) のところにシャープペンシルを置いて、(C)、(D) の音声が読まれるのを待ちます。そして (D) が不正解と確定した時点でシャープペンシルの先が置いてある、(B) の個所を黒丸に塗る。という方法が一般的で、ケアレスミスを避けることもできます。

Q: そもそもマークシートは解いている間に番号がズレてしまいそう。黒く塗るのも苦手です。

A: 試験中は常に読み上げられる番号とマークシートを照らし合わせること。集中してください！

また単純に塗りつぶしを簡単にするのであれば、Pentel の「MARK SHEET」という商品名のシャープペンや STAEDTLER の製図用のものを使ってみてください。通常、シャープペンシルの芯は 0.5 ミリのものをお使いの方が多いと思いますが、200 問マークするとなると、指が痛くなることもあります。鉛筆を使うのもいいですが、最近では試験会場で鉛筆を削る人はあまりお見かけしませんね。マークシート用のシャープペンシルには芯が 1.3 ミリのものをお勧めします（もちろん替え芯もあります）。ただ、受験番号と名前を書く際に多少太すぎると感じる場合は、念のため普通の鉛筆、または 0.5 ミリシャープペンシルも持参しましょう。

第3章

Part 3：会話問題

目を閉じて音だけに集中していれば解答できていた Part 2 が終わり、いよいよリスニングの最難関と考える人も多い、Part 3 の会話問題。Part 3 は男女2人または3人の会話を聞き、3つの設問に答える問題が全部で13セット、合計39問続きます。ここでも Part 2 同様に、話者の状況を想像することが必須。男性・女性それぞれの置かれている立場をきちんと把握しながら、落ち着いて正解を選び、高得点を目指しましょう。

DAY 7
- 解法⑬ 設問と図表は必ず先に読んでおこう
- 解法⑭ 似ている選択肢や図表を含む会話を攻略しよう

DAY 8
- 解法⑮ 先読みをすると「登場人物の数」と「誰が何をしたか」がわかる
- 解法⑯ 設問を「映像化」しよう

DAY 9
- 解法⑰ 頻出する場面設定を覚えよう
- 解法⑱ 頻出する設問パターンと語彙を覚えよう

DAY 7

解法⑬ 設問と図表は必ず先に読んでおこう
高得点取得のための設問先読み

　リスニングセクションの4つのパートのうち、Part 4 よりも Part 3 を苦手とする受験者は意外と多いようです。1人のスピーカーが一方的に話をする Part 4 と比較すると、Part 3 は登場人物が2人もしくは新形式では3人。相手の発話に応じて変化する状況について行くことが難しいのでしょう。

　Part 2 の「質問文⇒応答文」の1ターンの応答問題と比較しても Part 3 は「男⇒女⇒男⇒女」もしくは「女⇒男⇒女⇒男」の2ターン以上で、新形式には3人の会話も含まれるようになりました。Part 3 では時間制約があるなか、会話文を聞きながら設問と選択肢を同時に読んでマークをする、という高度な作業をこなさなければなりません。また、新形式では図表を見て答える問題も含まれます。

1 高得点取得には、設問先読みは不可欠

　Part 3、4に共通する攻略ポイントは「設問を先に読む」こと。もともと英語力があって、受験が初めての学習者はこの攻略法に疑問を感じる人も多いようです。**しかし、TOEICに関してはこの手順が会話文理解の手助けになるので、設問を先に読むことが高得点取得に必須なのです。**

2 設問先読みの手順

　まず、Part 3 に入ってすぐに約30秒のディレクションが流れます。**このディレクションは毎回同じなので、試験中に改めて聞く必要はありません。**この時間を使って最初の会話に対する設問 No. 32、33、34 を読み、選択肢に目を通しておきましょう。

　会話文が流れ始めたら、答えがわかった順にマークシートにチェックを入れていく（**解法⑭**参照）。例外はありますが、おおよそ1問目「全体」→2問目「詳細」→3問目「内容」の順になっています（**解法⑮**参照）。会話文を聞いた順に正解がわかるものがほとんどなので、心配せずに1問目から順に解答をしましょう。

👆 設問先読みの手順を身に付けよう！

	時間	すること
❶ Part 3 のディレクション	30秒	● 1セット目の設問 （No. 32, 33, 34）を先読み
❷ 1セット目の設問 （No. 32, 33, 34）の 英文読み上げ	約20～45秒	● 英文の聞き取りに集中 ● 解答を終わらせる ● マークシートに「✓」か「◎」 程度のチェックを入れる
❸ 1セット目の1問目、 No. 32 の設問読み上げ	約5秒	● 2セット目の1問目、 No. 35 の先読み
無音	8秒	
❹ 1セット目の2問目、 No. 33 の設問読み上げ	約5秒	● 2セット目の2問目、 No. 36 の先読み
無音	8秒	
❺ 1セット目の3問目、 No. 34 の設問読み上げ	約5秒	● 2セット目の3問目、 No. 37 の先読み
無音	8秒	
❻ 2セット目の設問 （No. 35, 36, 37）の 英文読み上げ	約20～45秒	● 英文の聞き取りに集中

※ ❸のところから2セット目の設問の先読みを始める

（以降は⇨の流れを繰り返す）

つまり3問先を読む！　ペース配分がキツいと思うかもしれないが、800点以上の高得点を目指すのなら当然！

DAY 7

解法⑭ 似ている選択肢や図表を含む会話を攻略しよう
設問や図表を見てテーマを予測

1 似ている選択肢

　Part 3の設問先読みの際に、**選択肢がすべて似ていて、時間、場所、手段、職業、回数を問われていることが明確**な場合、聞くべきポイントのヒントは設問の中に隠れていると考えてください。以下は「時間」の例です。

設問 What time will Kevin meet the man on Sunday?
　　（ケビンがその男性に会うのは何時ですか）

　(A) At 7:00 A.M.
　(B) At 8:00 A.M.
　(C) At 8:30 A.M.
　(D) At 9:00 A.M.

　　　　　　　　　　　　　　　　　　　　　　　映像化

　設問を読まなくても、選択肢を見ただけで「時間」が問われていることは明白です。しかし、Part 3では「何時?」と繰り返すだけでは(A)～(D)の選択肢がすべて「時」を表している場合、どれが正解であるかわからなくなってしまいます。この場合、頭の中で「ケビン」が「日曜」に男性と「会う」ことを**「映像化」**しながら会話文の該当個所を待ちましょう。

　　　　　　　◎ケビンが ◎会う
　　　　　　　　⇩　　　⇩
What time will Kevin meet the man on Sunday?
　　⇧× Part 3のポイントはここではない。

　頭の中で何か繰り返さないと不安な場合は「何時?　何時?　何時?」の代わりに、「ケビン、会う、ケビン、会う、ケビン、会う…」とつぶやくのが適当で、イメージもしやすいでしょう。

　前出のPart 2で疑問詞を頭に残す練習をするときに、「いつ?　いつ?　いつ?」と繰り返すのは、それによって、「時」を答えることを徹底的に頭に叩き込むことが目的です。しかし、Part 3では設問で時間を問う表現があるからと言って、時間のみに注意して答えればいいというわけではありません。設問先読みに加えて「ケビンが」「誰かと会う」のような会話の状況を想像することが大切です。

2 図表を含む会話

新形式では「図表を見て答える設問」「表現の意図を問う設問」が追加されています。

下の図表を見ると、サリーン会議ホールでのイベントに関する問題だということがわかります。

Salin Conference Hall

Events today:

International Investing	9:30 A.M.
Social Media Evolution	11:30 A.M.
Biotechnology Breakthroughs	2:30 P.M.
Data in Journalism	5:30 P.M.

Q: Look at the graphic. What seminar is the man going to attend?
(A) International Investing
(B) Social Media Evolution
(C) Biotechnology Breakthroughs
(D) Data in Journalism

また、設問を先読みすると、男性が図表の中のどれかのセミナーに出席する予定だということが音声を聞く前に予測することができます。そして選択肢はすべて図表の左側と同じ順番で並んでいます。この問題を解くためには音声の追加情報のうち、表の右側の時間を聞き取ればいいとわかります。この場合も男性がホールに行って、セミナーに参加するところを頭の中で**映像化**しておきましょう。「Man、セミナー、Man、セミナー」のように頭の中で繰り返して「セミナー」についての音声が流れてくるのを待つとよいでしょう。

この図表と選択肢を含んだ例題は次頁 ☞

Example

Salin Conference Hall
Events today:

International Investing	9:30 A.M.
Social Media Evolution	11:30 A.M.
Biotechnology Breakthroughs	2:30 P.M.
Data in Journalism	5:30 P.M.

1. Look at the graphic. What seminar is the man going to attend?
   (A) International Investing
   (B) Social Media Evolution
   (C) Biotechnology Breakthroughs
   (D) Data in Journalism

2. What does the woman mean when she says, "I wish that I could help you out"?
   (A) Other options are unavailable.
   (B) Specific assistance is delayed.
   (C) Different staff will provide help.
   (D) More approval is required.

3. What does the man say he will do next time?
   (A) Go to another desk
   (B) Use the Web
   (C) Pay a higher price
   (D) Register a friend

解答・解説

Questions 1-3 ★★★ 🇺🇸▶🇬🇧

1. 解説

先読みpoint What ▶ 男性は何のセミナーに出席する?

攻略法 設問を読んだだけで、男性が図表の中のどれかのセミナーに出席する予定だということがあらかじめわかっている。選択肢は図表の左側と同じ順番で並んでいるので、右側の時間のどれかが音声に出てくることを予測しておくと、男性が I'm here to register for the 2:30 P.M. seminar.(午後2時30分のセミナーに登録しに来たのですが)で会話をスタートさせている。これ以降に時間に関する言及はないので、正解は2:30の左側の(C)Biotechnology Breakthroughsだとわかる。

2. 解説

先読みpoint What ▶ 女性どんな意味で「何とかして差し上げたいのですが」と述べている?

攻略法 新形式に含まれる「〜」といったのはどんな意味ですか。の問題は、設問を読んだだけで、あらかじめスクリプトの一部がわかるため、先読みによって必ず得点に結び付けたい。この問題の場合、音声を聞く前に「女性が男性に対して、何かを手伝ってあげたいが、そうはいかないと思っている」ことがわかる。女性が前半の発言の2文目で You can register here and pay the 35-eruo fee before you go in.(入る前に、ここで35ユーロの料金を払って登録できます。)と言っているのを受けて、男性は Oh...no problem...but, I thought the fee was only 25 euros.(わかりました。しかし料金は25ユーロだけだと思っていました。)と言っている。その後の女性の発言で設問内の I wish that I could help you out. と言っているので、「料金は35ユーロから変えられない」という意味である。正解はこれを「他の選択はできない」の意味に言い換えた(A)Other options are unavailableである。

3. 解説

先読みpoint What ▶ 男性は次回に何をすると言っている?

攻略法 「次に何をしますか」のパターンの設問は会話の最後を聞けばわかるというのはPart 3, Part 4のどちらにも共通した鉄則。この問題では男性が最後の発言で、I understand. Next time, I'll do that.(分かりました。次回はそのようにします。)と言っているが、thatの指すものを理解するにはこの前からの会話の流れを頭の中で映像化しておくことが必要である。この前に女性が But you can only get the discount if you register online.(割引を受けることができるのはオンライン登録した場合だけなのですよ。)と言っているため、正解は(B)Use the Webとなる。

スクリプト

Questions 1 through 3 refer to the following conversation and sign.

M: I'm here to register for the 2:30 P.M. seminar. Has it started yet?

W: No, you've still got plenty of time. You can register here and pay the 35-eruo fee before you go in.

M: Oh...no problem...but, I thought the fee was only 25 euros.

W: At the desk, I'm sorry to say, you'll have to pay a higher price. I wish that I could help you out. But you can only get the discount if you register online.

M: I understand. Next time, I'll do that.

スクリプトの訳

問題1-3は、次の会話とサインに関するものです。

男性：午後2時30分のセミナーに登録しに来たのですが、もう始まってしまいましたか？

女性：いいえ、まだ充分に時間があります。入る前に、ここで35ユーロの料金を払って登録できます。

男性：ああ…わかりました…しかし、料金は25ユーロだけだと思っていました。

女性：申し訳ありません、カウンターでお支払いの場合、少し高い料金を払わなければなりません。何とかして差し上げたいのですが、割引を受けることができるのはオンライン登録した場合だけなのですよ。

男性：分かりました。次回はそのようにします。

- **register** 他 登録する
- **help out** 助ける、手伝う
- **invest** 他 投資する
- **evolution** 名 発展、進化
- **breakthrough** 名 突破（口）、打開、大きな進歩、躍進
- **unavailable** 形 利用できない、得られない、入手できない
- **provide** 他 提供する、与える
- **approval** 名 同意、賛成、承認、認可

設問・選択肢の訳

1. 図表を見てください。男性は、どのセミナーに出席しますか？

サーリン会議ホール	
今日のイベント：	
国際的投資	午前 9:30
ソーシャルメディアの進化	午前 11:30
バイオテクノロジーの躍進	午後 2:30
ジャーナリズムのデータ	午後 5:30

(A) 国際的投資
(B) ソーシャルメディアの進化
(C) バイオテクノロジーの躍進
(D) ジャーナリズムのデータ

2. 女性が「何とかして差し上げたいのですが」と言った時、何を意味していますか？
(A) 他の選択はできないこと。
(B) 特別な援助が遅れていること。
(C) 違うスタッフが、援助を提供すること。
(D) より多くの承認が必要とされること。

3. 男性は、彼が次回に何をすると言っていますか？
(A) もう一つの受付に行く。
(B) ウェブを使う。
(C) より高い料金を払う。
(D) 友人を登録する。

Exercises 正解と解説→ p. 98

CD1 57

1. What is the purpose of the woman's call?
   (A) To listen to a weather report
   (B) To rent a room
   (C) To put off a due date
   (D) To find a mail box

   Ⓐ Ⓑ Ⓒ Ⓓ

2. What happened around Columbus last month?
   (A) A major bank has started a business.
   (B) New factories have been built.
   (C) Extreme weather has hit the area.
   (D) A series of earthquakes have occurred.

   Ⓐ Ⓑ Ⓒ Ⓓ

3. What will the man do for the woman?
   (A) Accept her request
   (B) Call the accounting section
   (C) Appropriate money for the reconstruction
   (D) Postpone the meeting

   Ⓐ Ⓑ Ⓒ Ⓓ

On-Call Nursing Staff

Name	Expertise
Hanifa Mirwani	Surgery
Dennis Little	Physical Therapy
Carl Brown	Pediatrics
Theresa Machado	Emergency Room

4. What problem does the woman mention?
   (A) A shortage of hospital beds
   (B) An increase in patients
   (C) An unclear medical assignment
   (D) A small department budget

5. Look at the graphic. Who will the man contact?
   (A) Hanifa Mirwani
   (B) Dennis Little
   (C) Carl Brown
   (D) Theresa Machado

6. What will the man attach to the text?
   (A) A patient image
   (B) A priority indication
   (C) An arrival deadline
   (D) A department schedule

正解と解説

Questions 1-3 ★★★ 🇨🇦▶🇦🇺

1. 正解：(C) 先読みpoint **What** ▶ 女性が電話をしている**目的は何**？

攻略法 女性が最初の発言で自己紹介をし、2文目にI'm calling to～.と言っているので、この後に電話をかけた理由が来ると判断し、準備しよう。～to ask for a postponement of payment.とあるので、「支払いを延期する」ために電話している。これを言い換えた(C) To put off a due dateが正解である。

2. 正解：(C) 先読みpoint **What** ▶ 先月**何が起こった**？

攻略法 男性が最初の発言で「どうしたのですか」と心配しているのを受け、女性が「いろいろとありまして…」と状況を説明している。女性の後半の発言の2文目で「トルネードによって3個所の工場が壊されてしまいました」と言っている。この文の最後にlast month（先月）とあるので、その直前の英文をきちんと覚えていたかどうかがカギとなる。正解は(C) Extreme weather has hit the area.。

3. 正解：(A) 先読みpoint **What** ▶ 男性は**何をする**？

攻略法 女性は2回の発言のどちらにおいても「支払いの延期」をお願いしている。男性はそれを受けて後半の発言で「それはかまいません、期日を遅らせましょう」と、女性の依頼を受け入れているので(A) Accept her requestが正解である。Reconstruction、postponeなどの語につられて(C)「復興資金を割り当てる」や、(D)「会議を延期する」などに誤答しないように注意。

スクリプト **Questions 1 through 3 refer to the following conversation.**

W: My name is Sharon Dixon from Snyder Agency. I'm calling to ask for a postponement of payment. Is Mr. Hudson of the accounting section available? ── Q1 女性が電話をする目的

M: This is he. You sound a bit gloomy, Sharon. What's the matter with you? ── Q2 先月起こった出来事

W: Well, things haven't been easy. Three of our factories on the outskirts of Columbus were completely destroyed by the tornados we had last month. We need to get down to rebuilding among other things and that will cost a lot. As it is, we request an extension of payment of your bill for a month.

M: That's quite all right. We will delay your reimbursement until next month. I hope your factories will be fully operational as soon as possible. ← Q3 男性が女性のためにしたこと

スクリプトの訳 設問1〜3は次の会話に関するものです。

女性： スナイダー社のシャロン・ディクソンと申します。御社への支払いの延期をお願いしたくお電話いたしました。経理課のハドソン氏はお手すきでしょうか。

男性： 私です。シャロン、元気がないように聞こえますね。どうしたのですか。

女性： いろいろとうまくいかないのですよ。コロンバス郊外のわが社の3個所の工場が先月に起こったトルネードの影響で完全に崩壊してしまったのです。何よりもまず復興作業に着手するべきなのですが、それには費用がかかります。そのような状況なので1カ月、御社への支払いを延期したいのです。

男性： それは一向にかまいません。お支払い期日を来月まで遅らせましょう。御社の工場ができるだけ早く完全に稼動するといいですね。

設問・選択肢の訳

1. 女性はどのような目的で電話をしていますか。
   - (A) 天気予報を聞くため。
   - (B) 部屋を借りるため。
   - (C) 支払期日を遅らせるため。
   - (D) 郵便受けを見つけるため。

2. 先月、コロンバス近郊で何が起こりましたか。
   - (A) 主要銀行が業務を開始した。
   - (B) 新しい工場が建てられた。
   - (C) 極端な天候が地域を襲った。
   - (D) 一連の地震が起こった。

3. 男性は女性のために何をしますか。
   - (A) 彼女の依頼を受け入れる。
   - (B) 経理課に電話をする。
   - (C) 復興に資金を割り当てる。
   - (D) 会議を延期する。

- ☐ **agency** 名 代理店
- ☐ **accounting** 名 経理
- ☐ **Things haven't been easy.** 上手くいかない
- ☐ **outskirts** 名 郊外
- ☐ **get down to** 〜に着手する
- ☐ **extension** 名 延期
- ☐ **That's quite all right.** 一向に構いません
- ☐ **reimbursement** 名 返済
- ☐ **put off** 遅らせる
- ☐ **extreme** 形 極端な
- ☐ **appropriate** 他 割り当てる
- ☐ **postponement** 名 延期
- ☐ **gloomy** 形 憂鬱な、暗い
- ☐ **tornado** 名 トルネード、大竜巻
- ☐ **restoration** 名 復興、修復
- ☐ **bill** 名 請求書
- ☐ **operational** 形 使用できる、運転可能な
- ☐ **due date** 支払期日
- ☐ **occur** 自 起こる
- ☐ **reconstruction** 名 復興

Questions 4-6 ★★ 🇨🇦▶🇺🇸

4. 正解：(B) 先読みpoint **What ▶ 女性は何の問題について言っている？**

攻略法 女性は最初の発言で、We seem a little short-staffed today. と、人手が足りないことについて述べている。「人手が足りない」という選択肢はないのでまだ正解は決められない。ここでshortage（不足）の語につられ早とちりして(A) A shortage of hospital beds にマークしないように注意。女性の3回目の発言でGood; that part of the hospital is already getting very busy with incoming patients.（病院内のその部署は来院患者で忙しくなっています）と言っていることから、女性が話している問題は「患者が増えている」つまり(B) An increase in patientsが正解だとわかる。

5. 正解：(D) 先読みpoint **Who ▶ 男性は誰に連絡をする？ 新形式グラフィックの問題！**

攻略法 設問先読みによって、あらかじめ男性が誰に連絡をするかが聞かれることがわかっている。女性の最初の発言 I think we'll have to contact one of the nurses that are on-call.（私は待機している看護婦の1人に連絡しなければならないと思います）から、誰か1人に連絡をしなければいけないことが聞き取れる。女性が2回目の発言で、Almost certainly the emergency room.（ほぼ間違いなく緊急処置室です）と言っているので、リストのEmergency Roomの隣を見て、(D) Theresa Machadoが正解だと判断する。男性の2回目の発言 In that case, I know just who to contact.（それなら、ちょうど誰に連絡するべきかわかります）と聞こえた時には正解の箇所の音声は流れてしまっているので、状況を映像化し、タイミングよく正解を導こう。

6. 正解：(B) 先読みpoint **What ▶ 男性は何をテキストにつけるか？**

攻略法 男性が最後の発言の2文目で、I'll attach an "urgent" note to my text message.（「緊急」とテキスト・メッセージに添付しておきます。）と言っている。「緊急」を「最優先の指示」の意味の語で言い換えた(B) A priority indicationが正解となる。

スクリプト **Questions 4 through 6 refer to the following conversation and list.**

W: We seem a little short-staffed today. I think we'll have to contact one of the nurses that are on-call.
M: Do you know which department they might be assigned to?
W: Almost certainly the emergency room. If possible, I'd like someone with that kind of experience called in. ← Q5 男性は誰に話をする？
M: In that case, I know just who to contact.
W: Good; that part of the hospital is already getting very busy with incoming patients. When can he or she arrive?
M: It shouldn't take more than 90 minutes. I'll attach an "urgent" note to my text message. ← Q6 何をテキストメッセージに付ける？ Q4 女性は何の問題について言っている？

スクリプトの訳 問題4-6は次の会話とリストに関するものです。

女性: 今日は少し人手不足のようです。私は、待機している看護婦の1人に連絡しなければならないと思います。

男性: 彼らがどの部門に割り当てられる可能性があるか知っていますか?

女性: ほぼ間違いなく、緊急処置室です。できれば、そういう経験のある人が来てくれればと思います。

男性: それなら、ちょうど誰に連絡するべきかわかります。

女性: いいですね、病院内のその部署は、来院患者で非常に忙しくなっています。その方は、いつ来ることができますか?

男性: 90分以上かかってはいけません。「緊急」とテキスト・メッセージに添付しておきます。

設問・選択肢の訳

待機する看護職員	
氏名	専門知識
ハニファ・ミアワニ	手術
デニス・リトル	物理療法
カール・ブラウン	小児科
テレサ・マチャド	緊急治療室

4. 女性は、どんな問題に言及していますか?
   (A) 病院のベッドの不足 (B) 患者の増加
   (C) 不明な医療任務   (D) 小さな部門の予算

5. 表を見てください。男性は、誰に連絡しますか?
   (A) ハニファ・ミアワニ (B) デニス・リトル
   (C) カール・ブラウン   (D) テレサ・マチャド

6. 男性は、何をテキストに付けますか?
   (A) 忍耐強いイメージ   (B) 最優先の指示
   (C) 到着最終期限   (D) 部署の予定

- □ **short-staffed** 形 スタッフ不足の
- □ **on-call** 待機して、呼べばすぐ来る
- □ **assign** 他 割り当てる、配属する、任命する
- □ **emergency room** 緊急処置室
- □ **call in** 電話する、求める、呼び入れる
- □ **incoming** 形 入って来る、引き継ぐ
- □ **attach** 他 張り付ける、取り付ける、添える、加える
- □ **urgent** 形 緊急の
- □ **assignment** 名 任務、割り当てられた仕事
- □ **budget** 名 予算
- □ **expertise** 名 専門知識、ノウハウ
- □ **surgery** 名 外科、外科手術
- □ **Physical Therapy** 物理療法
- □ **Pediatrics** 名 小児科学
- □ **priority** 名 優先、優先権、最優先
- □ **indication** 名 指示

DAY 8

解法 ⑮ 先読みをすると「登場人物の数」と「誰が何をしたか」がわかる 設問文のパターン

　設問先読みは解答時間節約のためにするのではありません。耳だけで会話文を理解するよりも、その前に読む設問には会話文に関する大きなヒントが隠されているのです。

基本 ▶ 主語をまずチェック。「誰の行動が問われているか」がわかる

　設問に出てくる主語がmanなのか、womanなのかについては、特に注意をして頭に残したまま会話文を聞いてください。主語がmanならば男性、主語がwomanならば女性の台詞を注意深く聞くと、その手がかりがつかめます。

[NEW 新形式!]

　また、主語がmenの設問が含まれる場合は、男性2人、女性1人の3人の会話文であり、主語がwomenの設問が含まれる場合は、男性1人、女性2人の3人の会話文であるということも音声を聞く前に予測することができます。

主語にmenを含む設問がある場合　　**主語にwomenを含む設問がある場合**

男性2人と女性1人　　　　　　　　　男性1人と女性2人

基本 ▶ 「表現の意図」を問う問題、「implyを含み何かをほのめかしている」問題はその表現の意味や前後の文脈から類推しよう。
　・What does the man mean when he says, "……………"?
　・What does the man imply when he says, "……………"?

1 設問文のパターン

（1問目 「全体」に関する問題）

　会話文全体に関する質問が多く出題され、最初の発言を聞いてすぐに答えがわかる場合がほとんど。

〈1問目の主な内容〉

- What is the woman's problem?
  「女性の問題は何ですか」**(状況)**
- What is the purpose of this conversation?
  「この会話の目的は何ですか」**(目的)**
- Where is this conversation taking place?
  「この会話はどこで行われていますか」**(場所)**
- Who probably are the speakers?
  「会話をしている2人は誰だと考えられますか」**(設定)**

(2問目　「詳細」に関する問題)

　先読みの効果が最も発揮されるのは、「詳細」に関する問題の中でも日時に関する設問。選択肢の日時に目を通した後ならば、何の予備知識のないまま英文を聞くよりもはるかに簡単に正解にたどり着くことができます。

〈2問目の主な内容〉

- What time does the seminar begin?
  「セミナーが始まるのは何時ですか」**(時間)**
- How many people are attending the meeting?
  「会議に参加するのは何人ですか」**(具体的数値)**
- What information is provided by the man?
  「男性によってどのような情報が提供されますか」**(詳細)**

(3問目　「次の行動」、「最新情報」に関する問題)

　「全体」「詳細」に加えて、結局何をするか、次に何をするかなど、会話文の最新情報、これから起こることに関して問われます。**会話文の最後の発言に集中すると、正解がわかる**可能性が高くなります。

〈3問目の主な内容〉

- What does the man suggest?
  「男性の提案の内容は何ですか」**(内容)**
- What will the man probably do next?
  「男性は次に何をしますか」**(次の行動)**
- What will the woman ask the man to do?
  「女性は男性に何を依頼しますか」**(依頼の内容)**

DAY 8

解法⑯ 設問を「映像化」しよう
上級者の設問先読みのテクニック

高得点ゲット！ 先読みするときには、**設問をぼんやりと目で見るだけでなくて**、何が問われているかの意味を**理解**し、音声を聞きながら解答できるように「**映像化**」しましょう。

主語は誰か、動詞は？ と考えながら、話し手の状況がポジティブかネガティブかを頭に描いてください。

先読みの段階で一度映像化したイメージならば、それと一致する内容を音声で聞いた瞬間にそれが正解だとわかり、マークシートにチェックを入れることができます。

〈1問目に多いパターン〉

◯ What is |the woman's| |problem| ?
　　　　　　　↓　　　　　↓
　　　　　「女性」に　「何かが起こった！　それは何か？」

1問目先読みのメリット

「女性」に「何かが起こった」ことがわかる。女性にネガティブなことが起こったことを「映像化」します。女性の最初の問題提起の発言を注意深く聞いてください。

（解答になる部分を予測）会話文の最後に解決策が提案されることがある。

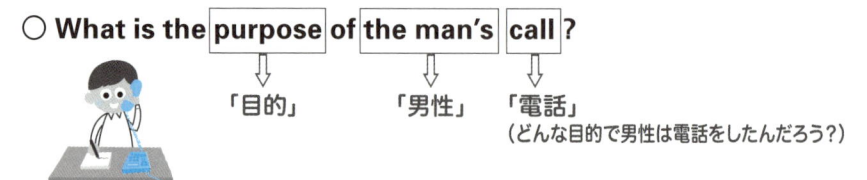

◯ What is the |purpose| of |the man's| |call| ?
　　　　　　　　　↓　　　　　↓　　　　　↓
　　　　　　　　「目的」　　「男性」　　「電話」
　　　　　　　　　　　　　　　　　（どんな目的で男性は電話をしたんだろう？）

「男性」が「何かの目的を持って電話をかけている」ことが明確になる。

（解答になる部分を予測）男性が電話をかけていることをイメージしながら最初の発言のI'm calling because〜や、I'm calling to〜の後を聞き取りましょう。

〈2問目に多いパターン〉
○ When will |the man| |attend the meeting|?
　　　　　　　⇓　　　　⇓
　　　　　　「男性」「ミーティングに参加する」

2問目先読みのメリット
会話文を聞く前に**「男性」**が**「ミーティングに参加する」**ことがわかる。

(解答になる部分を予測) 正解が含まれている It will be held〜./ 〜will be scheduled〜./ I am going to attend a meeting on〜. などの文を待ちましょう。

〈3問目に多いパターン〉
○ What will |the woman| probably |do next|?
　　　　　　　　⇓　　　　　　　　　⇓
　　　　　　　「女性」　　　　　　「次の行動」

3問目先読みのメリット
「女性」が**「次の行動」**を言う場面でおそらく会話が終わることがわかる。

(解答になる部分を予測)
女性の後半の発言 I'll〜や I'm going to〜の後を聞き取りましょう。

○ What does |the man| |offer| to do?
　　　　　　　⇓　　　　⇓
　　　　　　「男性」「何か提案する」

What does the man offer to do? から**「男性」**がおそらく最後に**「何か提案」**することがわかる。ポジティブなイメージ。

(解答になる部分を予測) 正解が含まれている男性の会話 Why don't we〜?／I'll 〜?／Would you〜? などの後を聞き取りましょう。

Example

1. What are the speakers mainly discussing?
   (A) Stopping a construction project
   (B) Making an online purchase
   (C) Changing a mode of transport
   (D) Organizing a department meeting

   Ⓐ Ⓑ Ⓒ Ⓓ

2. What does the man imply when he says, "You've said it"?
   (A) A statement was repeated.
   (B) A promise was made.
   (C) An opinion is correct.
   (D) An idea is well-known.

   Ⓐ Ⓑ Ⓒ Ⓓ

3. What do the women say they will do from tomorrow?
   (A) Try to telecommute more
   (B) Use public transportation
   (C) Park at a different lot
   (D) Finish an important project

   Ⓐ Ⓑ Ⓒ Ⓓ

解答・解説

Questions 1-3 ★★

1. 正解：(C)

先読みpoint What ▶ 話し手は**何について**話している？

攻略法 男性がまず When I got off the bus today, the parking lot seemed closed off this morning.（今日私がバスから降りた時、駐車場はふさがれていたようでした）と、駐車場を使うことができなかった事を話している。それに答えて、それぞれ女性1は I wish someone had informed us about this situation earlier.（誰かがもっと早くこの状況を知らせてくれれば良かったのに。）と、女性2は Well...my husband dropped me off at work today, but that can't be a long-term solution.（今日は私の夫が職場で私を降ろしてくれましたが、しかし、それでは長期の解決にはなりません。）と言っている。3人は駐車場を使うことができないので、別の通勤手段を考えている。したがって正解は (C) Changing a mode of transport となる。

2. 正解：(C)

先読みpoint What ▶ **男性**はどんな**意味**で言っている？

攻略法 "You've said it" は決まり文句で、「まったくその通りだ」の意味。この会話では、女性1の2回目の発言 That's going to cause some real problems.（それは本当に問題になりそうです）を受けて、男性が "You've said it" と言っているので、女性1の意見が正しいと思っていることを表現している。正解は (C) An opinion is correct. となる。

3. 正解：(B)

先読みpoint What ▶ 女性2人は明日から**何をする**と言っている？

攻略法 新形式での Part 3 の設問では、主語が men, women など複数の場合もあり、一見難しいように見えるが、この問題を見ただけでも、会話文の音声を聞く前からその設問が2人ではなく、3人の会話であることと、男性、女性どちらが2人なのかがわかる。女性2は最後の発言で I'm guessing this will make a lot more staff commute the way Gerald does...and that's what I'll do myself starting tomorrow.（私は、このことにより多くのスタッフが、ジェラルドのような方法で通勤することに変えると思っています…そして、私自身も明日からそのようにし始めるでしょう。）と、また女性1は最後の発言で Same here...ah...at least until all the parking lot work is finished.（私も同じです…ええと…少なくとも駐車場の全ての作業が終わるまでは。）と言っていることから、女性2人はジェラルドのような方法で通勤する予定であることがわかる。また、女性の2回目の発言から、男性の名前がジェラルドであることがわかり、

男性は2回目の発言で、especially since I take the bus.（特に私はバスに乗るので）と言っているので正解は(B) Use public transportationとなる。

スクリプト Questions 1 through 3 refer to the following conversation with three speakers.

Q1 何について話している？

M: When I got off the bus today, the parking lot seemed closed off this morning...uh...for some kind of repairs, as far as I could tell.

W1: It's going to cost me at least 70 dollars to keep my car in a private garage all day. Gerald, I wish someone had informed us about this situation earlier.

M: I think we were,...by e-mail...but, like you, I'd forgotten all about it—especially since I take the bus.

W2: Well...my husband dropped me off at work today, but that can't be a long-term solution. The lot's supposed to be closed for about 90 days.

Q2 どんな意味で言っている？

W1: That long? That's going to cause some real problems.

M: You've said it. As far as I can tell, the great majority of employees drive to work...but now they'll have to somehow find street or garage parking each morning.

W2: I'm guessing this will make a lot more staff commute the way Gerald does...and that's what I'll do myself starting tomorrow.

W1: Same here...ah...at least until all the parking lot work is finished.

Q3 どんな意味で言っている？

スクリプトの訳 問題1から3は、次の3人の会話に関するものです。

男性： 今日私がバスから降りた時、駐車場はふさがれていたようでした...あー...何かの修理のためでしょう、考えられるのは。

女性1： 私の車を個別のガレージに一日中駐車しておくのに少なくとも70ドルかかります。ジェラルド、誰かがもっと早くこの状況を知らせてくれれば良かったのに。

男性： 我々にも知らされていたと思います、...電子メールで...しかし、あなたと同じで私もそのことをすっかり忘れていました。...特に私はバスに乗るので。

女性2： ええと、...今日は私の夫が職場で私を降ろしてくれましたが、しかし、それでは長期的な解決にはなりません。駐車場は、およそ90日間閉鎖されると思われま

す。
女性1： そんなに長く？それは本当に問題になりそうです。
男性： 全くその通りです。私が言えることは、大多数の従業員は自動車通勤をしています…しかし、現在彼らは、毎朝何とかして通り沿いの駐車場や車庫を見つけなければなりません。
女性2： 私は、このことにより多くのスタッフが、ジェラルドのような方法で通勤することに変えると思っています…そして、私自身も明日からそのようにし始めるでしょう。
女性1： 私も同じです…ええと…少なくとも駐車場のすべての作業が終わるまでは。

設問・選択肢の訳

1. 話し手は、主に何を話し合っていますか。
   (A) 建設プロジェクトを止めること　(B) オンライン購入をすること
   (C) 交通手段を変えること　(D) 部門会議を準備すること

2. 男性が「You've said it」と言った時、彼は何を意味していますか。
   (A) 声明は繰り返された。　(B) 約束がなされた。
   (C) ある意見は正しい。　(D) 考えは有名である。

3. 女性2人は、明日から何をすると言っていますか。
   (A) もっと在宅勤務をしようとする。　(B) 公共交通を使う。
   (C) 違う駐車場に駐車する。　(D) 重要なプロジェクトを終える。

- □ **close off**　仕切りをする、ふさぐ、分離する
- □ **as far as**　〜する限り
- □ **You've (You) said it.**　まったくその通りだ、そうだとも
- □ **garage parking**　車庫
- □ **somehow**　副 何とかして、どうにかして、ともかく
- □ **commute**　自 通勤する
- □ **mode**　名 方法、様式
- □ **organize**　他 組織する、計画する、準備する、催す
- □ **well-known**　形 有名な、良く知られた
- □ **telecommute**　自 在宅勤務をする
- □ **transportation**　名 輸送機関、運送

Exercises　正解と解説→ p. 112

CD1 60

1. What was the man planning to send in the beginning?
   (A) Gift voucher
   (B) A graduation certificate
   (C) A calculator
   (D) Assortment of pears

   Ⓐ Ⓑ Ⓒ Ⓓ

2. What does the woman say about the budget for the quarter?
   (A) Largely increased
   (B) Slightly increased
   (C) Remain on the same price
   (D) Seriously decreased

   Ⓐ Ⓑ Ⓒ Ⓓ

3. Approximately how much money will the man spend for the gift for the assemblyman?
   (A) $40
   (B) $250
   (C) $400
   (D) $500

   Ⓐ Ⓑ Ⓒ Ⓓ

4. Who is Mr. Denton?
   (A) A senior executive
   (B) A goods supplier
   (C) An equipment designer
   (D) A store manager

5. What problem does Corrine mention?
   (A) A customer survey is negative.
   (B) A sports match is delayed.
   (C) A ball brand is not very popular.
   (D) A sales target is not being met.

6. What will the women discuss with Alfred Wu?
   (A) Ways to ship goods internationally
   (B) Strategies for improving quality
   (C) Options to reach shoppers differently
   (D) Suggestions from a marketing agency

正解と解説

Questions 1-3 ★★ 🇺🇸▶🇨🇦

1. 正解：(A) 　[先読みpoint]　**What** ▶ 男性が始めに**贈る予定だったもの**は何？

[攻略法] 男性は最初の発言で女性に呼びかけた後の2文目にI would like to send〜と言っているのでこの後の目的語を聞く。〜 a gift certificate to an assemblyman〜（商品券を議員に）とあるので、正解は(A) Gift voucherである。

2. 正解：(B) 　[先読みpoint]　**What** ▶ 女性が今四半期の**予算について言っていること**は何？

[攻略法] 女性は前半の発言でImpossible.と男性の要請を拒否した後に2文目でOur department's budget for this quarter was〜と言っているので、この後に予算に関する言及があると推測できる。〜was only increased about 2％〜とあるので、女性は2％という金額を少ない金額と考えて発言していることがわかる。したがって正解は(B) Slightly increasedである。

3. 正解：(B) 　[先読みpoint]　**How much money** ▶ 男性は議員に**いくら使う予定**か？

[攻略法] 設問先読みにより、値段を聞き取るべきだとわかるが、複数個所からの情報が必要。まず、男性は最初の発言で「500ドル申請したい」と言っており、これを女性に却下されている。それを受けて後半の発言の2文目に「その半額をお願いしたら受け入れられるでしょうか」と聞いている。これには女性は賛同しているので、男性の使う金額は500ドルの半額、つまり(B) $250が正解だとわかる。

[スクリプト] **Questions 1 through 3 refer to the following conversation.** 　（Q1 男性が贈る予定だったもの）

M: Hi, Melissa. I would like to send a gift certificate to an assemblyman who always helps us find clients. I'd like to request $500 for that purpose. 　（Q2 女性が今四半期の予算について言っていること）

W: Impossible! Our department's budget for this quarter was only increased about 2% even though the sale of the last quarter increased 40% compared with last year.

M: Well, mmm, let me think … Oh, if I ask for half the amount, would that be acceptable? 　（Q3 男性が議員に費やす金額）

W: That's a good idea. I was just having a hard time finishing the sales and budget statistics of this quarter. That would be helpful if you limited the gift within the budget.

スクリプトの訳 設問1-3は次の会話に関するものです。

男性：こんにちは、メリッサ。いつもクライアントを探すのにお世話になっている議員に商品券を贈りたいのですが、そのために500ドル申請しようと思っています。

女性：とんでもない！ 前四半期の売り上げは昨年と比較して40％も増えたのに今四半期の部署の予算は2％しか上がっていないのです。

男性：そうですか、えっと、少し考えさせてください。では、その金額の半額を申請したら受け入れてもらえそうでしょうか。

女性：それはいい考えですね。ちょうど今四半期の販売額と予算の数字を仕上げるのに大変なときだったのです。贈り物をその予算内に制限していただければ、とても助かります。

設問・選択肢の訳

1. 男性は始めに何を贈る予定でしたか。
   (A) プレゼント用商品券
   (B) 卒業証明書
   (C) 電卓
   (D) 梨の詰め合わせ

2. 女性は今四半期の予算について何と言っていますか。
   (A) 大きく増加した。
   (B) わずかに増えた。
   (C) 同じ値段にとどまっている。
   (D) 深刻に減少した。

3. 男性は議員にいくらくらい費やす予定ですか。
   (A) 40ドル
   (B) 250ドル
   (C) 400ドル
   (D) 500ドル

- **gift certificate** 名 商品券
- **budget** 名 予算
- **amount** 名 総額
- **statistics** 名 統計、数字
- **certificate** 名 証明書
- **assortment** 名 詰め合わせ
- **approximately** 副 おおよそ、ほぼ
- **assemblyman** 名 議員
- **compare with** ～と比較する
- **acceptable** 形 受諾できる、容認できる
- **voucher** 名 商品券
- **calculator** 名 電卓
- **pear** 名 梨

Questions 4-6 ★★★ 🇺🇸▶🇨🇦▶🇬🇧

4. 正解：(A) 先読みpoint **Who** ▶ ミスターデントンとは誰？

攻略法 男性は最初の発言から2人の女性との電話会議の指揮をとり、女性1にメキシコシティー支店の情報を求めている。それを受けて女性1は最初の発言の2文目に I've got some positive information for you and the other company directors.（デントンさんと他の会社のディレクターのためにいくつかの良い情報があります。）と言っているので、デントン氏は会社のディレクターだとわかる。よって、正解は (A) A senior executive となる。

5. 正解：(D) 先読みpoint **What** ▶ コリーンはどんな問題について言っている？

攻略法 男性は2回目の発言で女性2に対して Corrine, what's your situation in Bangkok? と話しかけているので女性2がコリーンである。それを受けて女性2(コリーン)は But, we're not selling as much camping equipment as we'd hoped.（キャンプ器材は期待したほど売り上げていません。）と言っているので、これを「売り上げ目標が達成されていない」と表現している (D) A sales target is not being met. が正解。

6. 正解：(C) 先読みpoint **What** ▶ 女性はアルフレッド・ウーと何を話し合う？

攻略法 アルフレッド・ウーの名前は男性の3回目の発言で初めて出てくる。If that's the case, you should speak with Alfred Wu in international marketing.（もしそうならば、国際マーケティングのアルフレッド・ウーと話すべきです）とあり、続いて、His group has developed a lot of different strategies on promoting sales of those kinds of items.（彼のグループは、そういった種類の商品の売上推進に対する多くの異なる戦略を開発してきました。）と言っている。これを「違った方法で買い手に届くような選択肢」と表現している (C) Options to reach shoppers differently が正解。

スクリプト **Questions 4 through 6 refer to the following conversation with three speakers.**

M: Since it's 10 o'clock, I'd like to open up our conference call. Sonya, can you give me an update on the new branch there in Mexico City?

W1: Yes, Mr. Denton. I've got some positive information for you and the other company directors. ←Q4 デントン氏は誰？
Specifically…in only our first month of operation, we're doing especially well with the sales of running outfits, including shoes and headbands.   Q5 コリーンはどんな問題について言っている？

M: Glad to hear that. Corrine, what's your situation in Bangkok?

W2: We're experiencing high sales in almost all ball sports: football, tennis, handball, you name it. But, we're not selling as much camping equipment as we'd hoped.   Q6 何を話し合う？

M: If that's the case, you should speak with Alfred Wu in international marketing. His group has developed a lot of different strategies on promoting sales of those kinds of items.

W1: I should speak with him myself then…I mean, we're selling

reasonably well in that area, but I know we could do a lot better.
M: After we're done with our own talk here, you should set up a call with him.
W2: That's an excellent idea, although I hope you could join us during that call as well.

スクリプトの訳 問題4-6は次の3人の会話に関するものです。

男性： 10時になりましたので、我々の電話会議を開きたいと思います。ソーニャ、そちらメキシコシティーでの新支社の最新情報を話していただけますか？

女性1： はい、デントンさん。デントンさんと他の会社のディレクターのためにいくつかの良い情報があります。具体的には…営業して最初の1ヶ月ですが、特に靴とヘッドバンドを含むランニング・ウェアの売上で上手くいっています。

男性： それを聞いてうれしいです。コリーン、バンコクでのあなたの状況はいかがですか？

女性2： フットボール、テニス、ハンドボールやその他ほとんどすべての球技において高い売上高を実現していますが、キャンプ器材は期待したほど売り上げていません。

男性： もしそうならば、国際マーケティングのアルフレッド・ウーと話すべきです。彼のグループは、そういった種類の商品の売上推進に対する多くの異なる戦略を開発してきました。

女性1： 私も彼と話さなければなりません…つまり、我々はその地域でかなりよく売り上げていますが、しかし、私は、我々がもっと上手くできたはずだということを知っています。

男性： ここでの話を終えた後、2人とも彼に電話をする準備をするべきです。

女性2： それはいい考えです。しかし、その電話にデントンさんも加わっていただけたらと思います。

設問・選択肢の訳

4. デントンさんは誰ですか。
   (A) 重役 (B) 商品製造元
   (C) 器材デザイナー (D) 店長

5. Corrine さんは、どんな問題に言及していますか。
   (A) 顧客調査が否定的なこと。 (B) スポーツの試合が遅れること。
   (C) ボールのブランドは、あまり人気がないこと。
   (D) 売上目標が、達成されていないこと。

6. 女性達は、アルフレッド・ウーと何を協議しますか。
   (A) 商品を国際的に出荷する方法 (B) 品質を改善するための戦略
   (C) 違った方法で買い手に届くような選択肢
   (D) マーケティング・エージェンシーからの提案

☐ **specifically** 副 明確に、はっきりと、特に、具体的に言うと
☐ **outfit** 名 （特定の目的のための）服装ひとそろい、用具一式
☐ **you name it** 何でも、どんなものでも
☐ **if that's the case** もしそうならば、だとしたら、それならば
☐ **reasonably** 副 適度に、ほどよく
☐ **contribute** 他 寄付する、貢献する、（助言・援助などを）与える
☐ **supplier** 名 供給者、製造業者、仕入先 ☐ **survey** 名 調査、測量
☐ **sales target** 売上目標 ☐ **ship** 他 船で送る、送り出す、出荷する
☐ **differently** 副 別様に、別に、それと違って

DAY 9

解法⑰ 頻出する場面設定を覚えよう
Part 3 の状況説明問題は難しくない！

学習者にとって英語が理解できない原因は大まかに分けると以下の2点です。
原因① 背景知識がない（状況がわからない）→ 解法⑰
原因② 語彙力が足りない（単語を知らない／知っていても運用能力がない）→ 解法⑱

言い換えると、学習者にとって、大きく分けてこの2点からアプローチすれば、効果的な実力アップにつながるのです。原因①から解決策を詳しく見てください。

> **原因①背景知識がない**
> **問題点**：話題に取り上げられている文化を経験したことがない。または、会話の内容が知らない分野で難しく聞こえます。
> **解決策**：TOEICは他の資格試験と比べて、一般的な日本人学習者が日常生活で経験したことのない設定や、難しい講義の内容は出題されない。ビジネスや日常生活における会話の設定を覚えておきましょう。

Part 3 頻出のビジネスや日常生活における会話設定を見てみましょう。

〈会話設定〉
●電話
（電話による仕事の依頼、仕事の手順、確認事項）

冒頭パターン→電話での呼びかけ

☐ Good morning, Leafy Dentist.（おはようございます、リアフィー歯科です）

☐ May I help you?（いらっしゃいませ）

☐ I'm calling to purchase 〜 .（〜を買うために電話しています）

☐ Hello. Mark Thompson speaking.（こんにちは、マーク・トンプソンです）

●予約をする／変更する
（食事、病院、チケット、歯科の治療の予約を取る、または変更する）

冒頭パターン→予約状況や予約をする側の事情

☐ Hi, I would like to book a table for 〜 .
（〜にテーブルを予約したいのですが）

☐ I have an appointment at 3:00 P.M., but 〜 .
（午後3時に予約を入れているのですが〜）

● **店員との会話**
（買ったものを返品したい、または商品を選ぶ）

冒頭パターン→トラブル

☐ Hello, I bought this printer yesterday, but ～ ,
（こんにちは、昨日このプリンターを買ったのですが～）

☐ Thank you for shopping with ～ .
（お買い上げありがとうございます）

● **ホテルにて**
（ホテルの受付でのやりとり、室内からフロントへの連絡、レストランにて）

冒頭パターン→従業員と宿泊客のやりとり

☐ Excuse me, sir, ～ .（すみません～）

☐ Welcome to ～ .（ようこそ～へ）

☐ May I take your order?（ご注文をうかがいましょうか）

● **同僚との会話**
（社内の人事、問題点、今後の方針、業務内容、ランチ、旅行、休日の予定）

冒頭パターン→トラブル、相談や楽しみにしている事柄など

☐ I don't believe the trouble ～ ,（そんなトラブルは信じない）

☐ I can't attend the seminar ～ ,（セミナーに出席できない）

☐ Do you think the new manager can ～ ?
（新しいマネージャーが～できると思う？）

● **友人・同僚との日常会話**
（予定、雑用の依頼、飲食店の評判、経済、ＩＴ技術、スポーツ、趣味）

冒頭パターン→易しい内容の時事問題から、男女が自宅で雑用を依頼し合っている内容

☐ I heard you want to ～ .（あなたが～したいと聞きました）

☐ Robert, could you help me?（ロバート、手伝ってくれる？）

☐ Have you been to ～ ?（～に行ったことがある？）

DAY 9

解法⑱ 頻出する設問パターンと語彙を覚えよう
表現を覚えたら音読して聞き取れるようにしよう

解法⑰で触れた**原因②**の攻略方法を見ていきましょう。

> **原因②語彙力が足りない**
> 問題点：単語を知らない、もしくは単語の直訳はできてもそれが語句のかたまりや、意味のある文章にならない。
> 解決策：「耳で聞こえた音を意味のある音のかたまりとして認知し、理解する」ことを目標にすると、英語学習が楽しくなり、学習の過程において新たな自分の弱点が見えてくる。

高得点ゲット！ 受験者が「英語が聞けるようになりたい」と言うからには「英語の音がなんとなく聞こえる」ことを目標としているのではありません。「私は耳がわるいから」と嘆く英語学習者でも、たいていは耳が本当に聞こえないことを悩んでいるのではありませんよね。

Part 3に出てくる単語を覚えたら自分で発音してみましょう。自分で意味を「映像化」しながら発音できる単語は、次に聞くときには理解できるようになっているはずです。耳で聞こえた音を意味のある音のかたまりとして認知して、理解するまでを目指してください。

●電話によく出る表現
- □ consult 相談する
- □ delivery 配達
- □ regularly 定期的に
- □ detail 詳細
- □ subscribe 購読する
- □ available 空いている
- □ confirm 確認する

設問パターン
・Why is the man calling? 〔どうして電話をしているのだろう？〕
・Who is the man probably talking to? 〔誰と話しているんだろう？〕

●予約、変更によく出る表現
- □ appointment 予約
- □ reschedule 再予約する
- □ cancel キャンセルする
- □ diagnose 診断する
- □ serious 深刻な

設問パターン
・What is the man's problem? 〔どんな問題があるのだろう？〕

・Who most likely is the man? 〔誰のことだろう？〕

●店員との会話によく出る表現
☐ product　商品　　　☐ replace　取り換える　　☐ refund　返金する
☐ defect　欠陥　　　 ☐ top-of-the-line　最先端の
☐ trend　流行　　　　☐ item　品物

設問パターン
・Where most likely are the speakers? 〔話し手はどこにいるんだろう？〕

・What does the woman offer to do? 〔女性は何を頼んでいるんだろう？〕

●ホテル、レストランによく出る表現
☐ chain　チェーン店　　☐ suggestion　提案　　☐ guide　案内人
☐ appetizer　前菜　　　☐ appeal　魅力　　　　☐ course　コース料理
☐ reception desk　受付係

設問パターン
・Where does this conversation take place? 〔この会話はどこで行われているんだろう？〕

・What will the man probably do next? 〔男性は次に何をするだろう？〕

●同僚との会話によく出る表現
☐ agenda　議事日程　　☐ perspective　見通し　☐ yield　収益
☐ bring up　持ち出す　 ☐ invoice　請求書　　　☐ job opening　求人

設問パターン
・Why is the man concerned? 〔どうしてその男性は心配しているのだろう？〕
・What are the speakers mainly discussing? 〔話し手たちは主に何を話しているんだろう？〕

●友人・同僚との日常会話によく出る表現
☐ transaction　取引　　☐ dividend　配当　　☐ adjacent　隣接した
☐ perform　演じる　　　☐ release　公開する

設問パターン
・What does the woman suggest the man do? 〔女性は男性に何を勧めているんだろう？〕

・What will they do next? 〔彼らは次に何をするだろう？〕

第3章 Part3：会話問題

Example

1. Why does the woman think she got several wrong phone calls today?
   (A) Because she has a lecture.
   (B) Because she is an executive officer.
   (C) Because it is a busy period.
   (D) She doesn't know the reason.

   Ⓐ Ⓑ Ⓒ Ⓓ

2. Who most likely is Mr. Scott?
   (A) A manager at the Gregory Department store
   (B) Telephone operator
   (C) An engineer
   (D) A successor in the communication industry

   Ⓐ Ⓑ Ⓒ Ⓓ

3. What does the man think about the possible success of the project?
   (A) It rests on the amount of money they receive.
   (B) It depends on the new computer system.
   (C) It can be controlled by the woman
   (D) They should wait for the opportunity more patiently.

   Ⓐ Ⓑ Ⓒ Ⓓ

解答・解説

Questions 1-3 ★★★ 🇬🇧▶🇦🇺

1. 正解：(D) 先読みpoint **Why** ▶ 女性は**どうして電話がかかってくると思っている**？

攻略法 女性は最初の発言から「何が問題だかわかる？」と男性に困った様子を示している。それに続く2文目に「今日間違い電話がかかってきたのが4度目」と言っているので、彼女は「間違い電話がかかってきた理由を知らない」と推測できる。したがって(D) She doesn't know the reason. が正解である。

2. 正解：(A) 先読みpoint **Who** ▶ スコットさんは誰？

攻略法 女性の後半の発言の4文目に「グレゴリーデパートのスコット氏から重要な電話がある」と言っている。続く男性の後半の発言の2文目に「プロジェクトの成功は彼の資金援助の額にかかっている」とあるのでスコット氏は少なくとも、他社に資金援助をするだけの決定権があることがわかる。したがって選択肢の中で最もスコット氏に当てはまるものは(A) A manager at the Gregory Department store（グレゴリーデパートの重役）である。

3. 正解：(A) 先読みpoint **What** ▶ 男性はプロジェクトの今後の成功について**何を思っている**？

攻略法 男性の後半の発言2文目に The success of our next project depends on how much funding he contributes this time. とあるので、正解は(A) It rests on the amount of money they receive.（受け取る金額次第である）だとわかる。

スクリプト　　　　　　　　　Q1 女性が考える電話がかかってくる理由

Questions 1 through 3 refer to the following conversation.

W: Do you know what the problem is? This is the fourth time I've had the wrong phone call today.

M: Seems like the extension number has been set up incorrectly. Let me go to the general affairs office and ask one of the staff.

W: Thanks. Oh, could you do it now? I need the phone to work correctly. I'm expecting an important call from Mr. Scott from the Gregory Department Store at 2:30 this afternoon.

M: Oh, dear! The success of our next project depends on how much funding he contributes this time. Yes, I will do it immediately.

Q2 スコット氏は誰？
Q3 男性が考えるプロジェクトの成功の理由

スクリプトの訳

設問1-3は次の会話に関するものです。

女性：一体、何が問題なのかしら？　今日間違い電話がかかってきたのがこれで4度目なのよ。

男性：きっと内線電話が間違って設定されているんだよ。総務部に行って係の人に聞いてこようか。

女性：ありがとう。そうそう、今行ってもらっていいかしら？　電話をきちんと受け取らなくてはいけないのよ。今日の午後2時半にグレゴリーデパートのスコット氏から大切な電話があるのを待っているの。

男性：それは大変だ。我々の次のプロジェクトの成功は、彼が今回どれくらい資金の面で貢献してくれるかにかかっているからね。そうだ、今すぐに行ってくるよ。

設問・選択肢の訳

1. 女性はなぜ今日、何本かの間違い電話がかかって来ていると思っていますか。
   (A) 彼女には講義があるため。
   (B) 彼女は重役だから。
   (C) 繁忙期のため。
   (D) 彼女には理由がわからない。

2. スコット氏はおそらく誰ですか。
   (A) グレゴリーデパートの重役
   (B) 電話交換手
   (C) 技術者
   (D) 通信業界の後任者

3. 男性はプロジェクトの今後の成功についてどう思っていますか。
   (A) 受け取ることのできる金額次第である。
   (B) 新しいコンピュータシステム次第である。
   (C) 女性によってコントロールされる。
   (D) 機会をもっと忍耐強く待たなければならない。

- [ ] **extension** 形 内線の
- [ ] **incorrectly** 副 間違って
- [ ] **depend on** 〜にかかっている
- [ ] **funding** 名 資金、財政支援
- [ ] **contribute** 他 貢献する
- [ ] **immediately** 副 すぐに
- [ ] **lecture** 名 講義
- [ ] **executive officer** 重役
- [ ] **period** 名 期間、時期
- [ ] **successor** 名 後任
- [ ] **rest on** 〜にかかっている
- [ ] **amount** 名 総額、総計
- [ ] **patiently** 副 忍耐強く、根気よく

Exercises 正解と解説→ p. 126

CD1 63

1. Who is Mr. Cooper?
   (A) An instructor
   (B) A sports therapist
   (C) An interviewer
   (D) An applicant

   Ⓐ Ⓑ Ⓒ Ⓓ

2. According to the woman, how does the visitor look?
   (A) He is fresh from university.
   (B) He is full of enthusiasm.
   (C) He has an outstanding ability.
   (D) He doesn't look like a job candidate.

   Ⓐ Ⓑ Ⓒ Ⓓ

3. What are the applicants supposed to do in their interview?
   (A) Demonstrate an exercise arrangement
   (B) Take a personality test
   (C) Take an academic examination
   (D) Give an oral speech

   Ⓐ Ⓑ Ⓒ Ⓓ

4. Why is the man wearing sunglasses?
   (A) To be looked nice
   (B) To avoid a pollen allergy
   (C) To keep away from sunlight
   (D) To prepare for surgery

   Ⓐ Ⓑ Ⓒ Ⓓ

5. What was the purpose of the woman's operation 2 years ago?
   (A) To treat heart disease
   (B) To treat a vision problem
   (C) To prevent infection
   (D) To prevent a repetition of heat stroke

   Ⓐ Ⓑ Ⓒ Ⓓ

6. How does the man feel about the surgery?
   (A) Relieved
   (B) Anxious
   (C) Astonished
   (D) Thrilled

   Ⓐ Ⓑ Ⓒ Ⓓ

正解と解説

Questions 1-3 ★★ 🇨🇦▶🇺🇸

1. 正解：(C) 先読みpoint **Who** ▶ クーパー氏は誰？

攻略法 女性は冒頭でクーパー氏に来客があることを知らせ、それに続く2文目で「10時から志願者との面接がありますね」と確認している。「志願者と面接をする」人物は誰かを考える。(C) An interviewer（面接官）が正解である。

2. 正解：(D) 先読みpoint **How** ▶ 女性によると、訪問者はどのように見える？

攻略法 女性は後半の発言で I am not sure that he is a candidate. と、「訪問者が志願者だとは思えない」ことに触れ、その理由として、2、3文目に「服装がカジュアルである」「年齢が40代に見える」ことを述べている。したがって正解は (D) He doesn't look like a job candidate. となる。

3. 正解：(A) 先読みpoint **What** ▶ 志願者は面接で何をする？

攻略法 男性が後半の発言の3文目に I told the applicants to show us one of their exercise routines.（エクササイズの流れを見せてもらうと志願者に伝えた）と言っている。これを言い換えた (A) Demonstrate an exercise arrangement が正解である。

スクリプト **Questions 1 through 3 refer to the following conversation.**

W: Mr. Cooper, there is a man at the entrance who says he has an appointment with you at 10:30. But you have an interview with an applicant from 10:00. ← Q1 クーパー氏は誰？

M: The man may be one of the applicants. Could you ask his name and show him to the waiting room? ↘ Q2 訪問者の印象

W: I am not sure that he is a candidate. He is dressed very casually! And on top of that, he seems to be in his mid-40s.

M: We are also looking for aerobics instructors. He must be coming for the third interview for that position. I told the applicants to show us one of their exercise routines. That's probably why he's dressed casually. ↑ Q3 志願者が面接ですること

スクリプトの訳 設問1-3は次の会話に関するものです。

女性: クーパーさん、正面玄関にクーパーさんと10時半に約束をしているという男性がいますが、確か10時に志願者が来て面接をされますよね。

男性: その男性がおそらく志願者の1人なのでしょう。彼の名前を聞いて待合室に案内してもらえますか。

女性: 彼が志願者だとは思えないのですが。とてもカジュアルな服装ですし、そのうえ、40代半ばに見えます。

男性: 我々はエアロビクスのインストラクターも探しているのです。彼はおそらくそのポジションの3次面接に来ているのでしょう。私は志願者にエクササイズの流れについて見せてもらうと言っておきましたから。だから彼はカジュアルな服を着ているのでしょう。

設問・選択肢の訳

1. クーパー氏は誰ですか。
   (A) インストラクター
   (B) スポーツセラピスト
   (C) 面接官
   (D) 志願者

2. 女性によると、訪問者はどのように見えますか。
   (A) 大学を出たばかりである。
   (B) 熱意でいっぱいである。
   (C) 顕著な能力がある。
   (D) 志願者のようには見えない。

3. 志願者は面接で何をすることになっていますか。
   (A) エクササイズの流れを実演する。
   (B) 人物テストを受ける。
   (C) 学術試験を受ける。
   (D) 口頭でスピーチをする。

- **applicant** 名 志願者
- **candidate** 名 志願者、候補者
- **aerobics** 名 エアロビクス
- **therapist** 名 セラピスト
- **outstanding** 形 顕著な、優れた
- **arrangement** 名 流れ、手はず
- **show** 他 案内する
- **on top of that** その上
- **routine** 名 流れ、手順
- **enthusiasm** 名 熱意
- **demonstrate** 他 実演する
- **oral** 形 口頭の

Questions 4-6 ★★

4. 正解：(C) 先読みpoint **Why** ▶ 男性は**なぜサングラスをかけている**？

攻略法 男性は女性がサングラスをほめてくれたことを受けて、前半の発言でお礼を言っている。2文目に I have to wear them because～とあるので、この後にサングラスをかけている理由が述べられるとわかる。「最近、目のトラブルがあった」と言っており、3文目では「昨日手術を受け、医師に直射日光を避けるように言われた」と述べている。したがって正解は (C) To keep away from sunlight である。

5. 正解：(B) 先読みpoint **What** ▶ 女性の手術の目的は何？

攻略法 女性は後半の発言の2文目に I had an operation on my eyes 2 years ago ～と言っているので、ここで集中力を高めよう。～for my shortsightedness（近視の治療のため）とあり、選択肢の中で、目の治療に当てはまるものを探す。正解は (B) To treat a vision problem である。

6. 正解：(A) 先読みpoint **How** ▶ 男性は手術について**どう思っている**？

攻略法 男性は後半の発言の3文目で I'm glad that I did it. と言っている。したがって (A) Relieved が正解。ちなみに4文目では「（手術が終わったので）心配する必要もストレスを感じることもない」と、補足が述べられている。

スクリプト Questions 4 through 6 refer to the following conversation.

W: Hi, Roland. You're wearing sunglasses. They look good on you.
M: Thanks for the compliment. But actually, I have to wear them because I've been having trouble with my eyes recently. I had eye surgery yesterday and the doctor told me to avoid direct sunlight. So the sunglasses.
W: I'm sorry to hear that. I had an operation on my eyes 2 years ago for my shortsightedness. But they gave me a pair of goggles to wear to keep the wind and dust from my eyes.
M: Oh, you had eye procedure too? What a coincidence. I'm glad that I did it. Now I don't have to worry or stress anymore about my eyes.

Q1 男性がサングラスをかける理由
Q2 女性の手術の目的
Q3 男性が手術について思っていること

> **スクリプトの訳** 問題4-6は次の会話に関するものです。

女性: あら、ローランド。サングラスをしているのね。とてもお似合いですよ。

男性: ほめてくれてありがとう。でも本当は最近、目にトラブルがあって、サングラスをかけないといけないんだよ。昨日、目の手術を受けて、直射日光を避けるように医師が言っていたからね。だからサングラスをかけているんだよ。

女性: それは大変ね。私も2年前に近視の治療のために目の手術を受けたんですよ。でもそのときは風とほこりから目を守るためにゴーグルをもらいましたね。

男性: そう、君も目の手術を受けたのかい？ 偶然だね。僕も受けてみてよかったと思うよ。今は目のことで心配したり、ストレスを感じることもないからね。

> **設問・選択肢の訳**

4. 男性はなぜサングラスをかけていますか。
  (A) 良く見せるため。
  (B) 花粉アレルギーを避けるため。
  (C) 日光を避けるため。
  (D) 手術の準備をするため。

5. 2年前の女性の手術の目的は何でしたか。
  (A) 心臓病の治療のため。
  (B) 視力の治療のため。
  (C) 伝染病を予防するため。
  (D) 熱中症の再発を避けるため。

6. 男性は手術についてどう思っていますか。
  (A) 安心した
  (B) 心配である
  (C) 驚いている
  (D) 興奮している

- □ **compliment** 名 賛辞、ほめ言葉
- □ **surgery** 名 手術
- □ **shortsightedness** 名 近視
- □ **procedure** 名 外科手術
- □ **pollen** 名 花粉
- □ **heart disease** 心臓病
- □ **infection** 名 伝染病、感染
- □ **heat stroke** 熱中症
- □ **astonish** 他 驚かせる
- □ **actually** 副 本当は、実は
- □ **avoid** 他 避ける
- □ **goggles** 名 ゴーグル
- □ **coincidence** 名 偶然の一致
- □ **allergy** 名 アレルギー
- □ **vision** 名 視力
- □ **repetition** 名 繰り返し
- □ **anxious** 形 心配して

コラム❷
英語のリズムを身に付ければ、リスニング力がアップする

Q: 英語の発音記号を勉強したのに、発音が良くなりません。

A: 受験英語の辞書に載っているような発音記号を勉強しても、それだけで実際、自分の発音が劇的に変化することはないでしょう。英語の音声には日本語にはない子音やリズム、ストレス（音の強さ）などのコツがあります。実際に自分の声を録音して聞いてみると、ネイティブの発音との違いがわかります。

練習方法としては例えば、Part 2 に出てきそうな例文、Can you help me with the salad? を発音してみます。ちなみに日本語だと「サラダ」のところと「手伝って」と「もらえますか?」の音を高めに発音しますね。

例 「**サラダ**をつくるのを**手伝って**もらえ**ますか**?」

このように日本語は音の高低で感情を表します。
しかし、英語では、以下の太字の部分を強く読みます。

例 **C⒜N** you **H⒠LP** me with the **S⒜LAD**?

「強く読む、弱く読む」の感覚は日本人にはあまり馴染みがないかもしれません。そこで太く書いた単語のところで手拍子を打ってみましょう。

丸の部分で手を叩くとこの文は全部で3拍となります。手を叩くところは強く、叩かないところは意識してあまり発音しないようにしましょう。手を叩くだけではうまく行かないときには、立って歩きながら、左足、右足に合わせて手を叩いて英語のリズムを体感することもできます。この反復によってストレスと英語のリズムを同時に身に付ける訓練をしましょう。通常、自分で発音できる英文は聞くことができます。

Q: スクリプトを見て練習してもいいですか?

A: リスニングの練習の際にはスクリプトをなるべく見ないようにしましょう。CDを聞いた後すぐにスクリプトを読んで理解できても、それは「読めている」だけで、「聞き取れている」のではありません。リエゾン、エリジョンと呼ばれる音の変化（Can you? をキャニュー?と、くっつけて発音するなど）は、音声を聞きながらそれぞれのパターンをよく研究しましょう。スクリプトはどうしてもわからないところを確認する程度にして、練習ではCDの音声を中心に使用してください。

第4章

Part 4：説明文問題

Part 4の説明文問題では1人のスピーカーによるアナウンスやナレーションなどの問題文が放送されます。1つの説明文につき3つの設問に答える問題が全部で10セット、合計30問続きます。設問の先読み方法はPart 3と同じ。リスニング・セクションの中でも問題文が長く、Part 3と並んで最も難しいパート。出題形式をマスターし、集中力を保って正解率を上げましょう。

DAY 10
- 解法⑲ 設問と指示文と図表を先読みしよう
- 解法⑳ 設問中のキーワードを探そう

DAY 11
- 解法㉑ 勝手な想像はしない！「映像化」しよう！
- 解法㉒ 関連語に飛びつかない！

DAY 12
- 解法㉓ 「メッセージ」「アナウンス」「広告」を攻略しよう
- 解法㉔ 「スピーチ」「ニュース」「ガイドツアー」を攻略しよう

DAY 10

解法⑲ 設問と指示文と図表を先読みしよう
リスニング時間が長いから Part 3 より解きやすい?

1 1つのテーマ

　リスニング・セクションの4つのPartのうち、Part 4は語彙の難易度が高く、1つの問題文が最も長い傾向にあります。苦手と感じる人も多いパートですが、**1人のスピーカーが1つのテーマについてじっくりと話をする**ため、登場人物が2人または3人で状況が次々と変化するPart 3よりも解きやすいと感じる受験者が多いようです。

2 アナウンスが長い分、余裕ができる

　説明文を聞きながら、同時に設問と選択肢を読んでマークをする作業はPart 3と同じ。説明文が長い分、長時間文章に集中しなければなりませんが、逆にPart 3よりも**「1つの設問を解答してから次の設問の解答の手がかりの音声部分を聞くまでに、時間的な余裕がある」**というメリットがあります。落ちついて最後まで集中力が途切れないようにしましょう。

3 設問先読みはPart 3と同じ

　Part 4に入ると約30秒間ディレクションが流れます。Part 3同様、このディレクションは試験中に聞く必要はありません。Part 3からの先読みリズムを崩さないように、この時間は設問No. 71、72、73と選択肢に目を通しておきましょう。

4 Part 4には説明文の内容が示される

　また、**Part 4の指示文には説明文の内容が示されます。**
　Questions 71 through 73 refer to the following announcement.（問題71-73は次のアナウンスに関するものです）
　下線部の個所（アナウンス、スピーチ、トークなど）から**説明文の種類を知る**ことができることも覚えておきましょう。

5 図表を見て答える問題

　新形式の図表を見て答える問題では、先読みの際に図表にも目を通しておき、音声中の追加情報に集中しましょう。

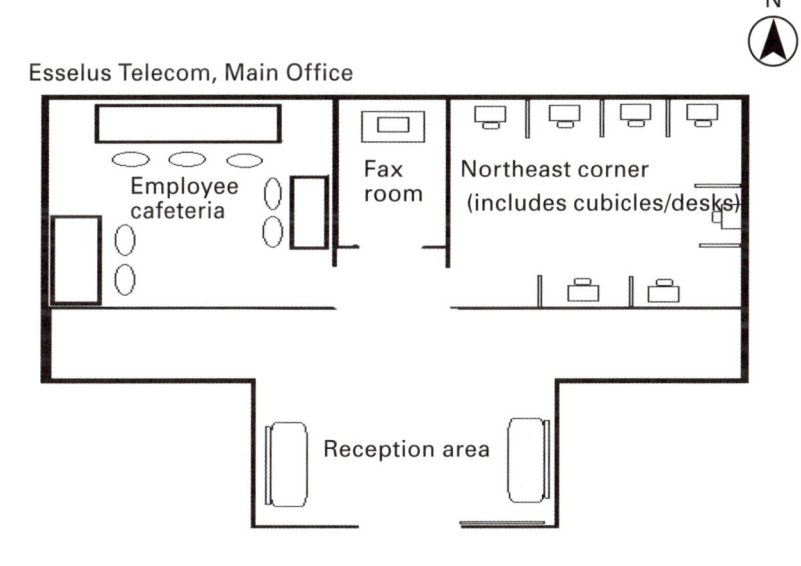

Esselus Telecom, Main Office

- Employee cafeteria
- Fax room
- Northeast corner (includes cubicles/desks)
- Reception area

N ↑

解法 ⑳ 設問中のキーワードを探そう
キーワードはつなげて「映像化」しよう

　説明文が流れ始めたら答えがわかった順にマークシートにチェックを入れるのはPart 3と同じ。設問の大まかな傾向も1問目「全体」、2問目「詳細」、3問目「次の行動」、「最新情報」の順と考え、心の準備をして聞きましょう。例外があったらそれに対処する、という方法で解答を進めましょう。

1 設問からキーワードを見つけよう

　Part 3の話し手は男女1人または2人ずつなので、設問の主語がman／menなのか、woman／womenなのかによって、男性、女性のどちらの発言に集中すればいいのか準備をしました。しかし、実際に会話文を聞きながら問題を解いてみると、これにはかなりの集中力を必要とし、忙しい作業だと気づくはず。**実は、設問から簡単にキーワードを見抜くことができるのはPart 3よりPart 4の方なのです。設問中の主語である固有名詞や見慣れない動詞がキーワードです。**

2 キーワードを拾って会話文を「映像化」する

　次ページのExampleを見てみましょう。

[キーワード] [キーワード]

設問2　Look at the graphic. What part of the <u>office</u> <u>will be painted</u> first?

選択肢　(A) Northeast corner　(B) Northwest corner
　　　　(C) Reception area　　(D) Fax room

　前ページの図は**office**の図であり、**オフィス内がペイントされる**話がこれから聞く**説明文の中に必ず含まれる**ということがわかります。この場合、キーワードは主語であるofficeと動詞部分のwill be paintedで、「オフィス、ペイントされる、オフィス、ペイントされる」と心の中でつぶやきながら説明文を聞いてください。

設問3　**What are the listeners <u>told</u> to do at <u>1 o'clock</u> each day?**

選択肢　(A) Start computers　　　(B) Install devices
　　　　(C) Wait to be contacted　(D) Go have meals

　これを先読みしただけで**聞いている人は毎日1時には何かをするように言われるということがわかります。**この場合、キーワードは動詞のtoldと、時間の1 o'clock.「1時に、何する？　1時に、何する？」と頭に思い浮かべながら説明文を聞くようにします。

Example

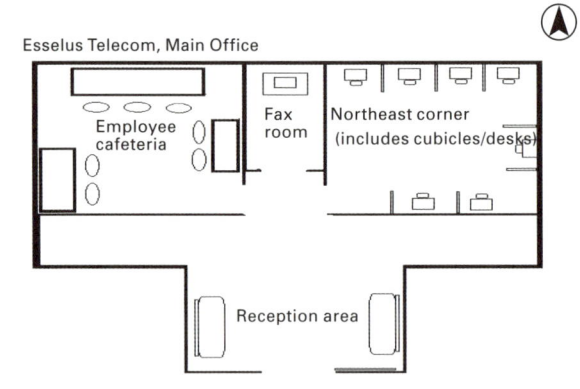

Esselus Telecom, Main Office

N

CD1 65

1. What does the speaker indicate about the office?
   (A) It is newly renovated.
   (B) It is empty of staff.
   (C) It is replacing some machines.
   (D) It is opening for the first time

   Ⓐ Ⓑ Ⓒ Ⓓ

2. Look at the graphic. What part of the office will be painted first?
   (A) Northeast corner
   (B) Northwest corner
   (C) Reception area
   (D) Fax room

   Ⓐ Ⓑ Ⓒ Ⓓ

3. What are the listeners told to do at 1 o'clock each day?
   (A) Start computers
   (B) Install devices
   (C) Wait to be contacted
   (D) Go have meals

   Ⓐ Ⓑ Ⓒ Ⓓ

136

解答・解説

1. 正解：(B)

先読みpoint What ▶ オフィスについて**何を**言っている？

攻略法 2文目に We've got this floor to ourselves this weekend, and we want to finish everything before this business reopens on Monday. （今週末このフロアを私たちだけで担当し、月曜日、ここのビジネスが再開する前にはすべてを終えるつもりです。）とあり、このオフィスは現在休業中で、作業スタッフ以外には誰もいないことがほのめかされている。正解は(B) It is empty of staff. となる。

2. 正解：(A)

先読みpoint What ▶ 最初に**どこを**塗る？

攻略法 3文目に I want us to start by painting the walls in the desk and cubicle areas. （皆さんにはデスクと個室の区域の壁の塗装から始めて欲しいと思います。）と言っているので、図表から机と椅子のある個室の場所を探すと右の上方にある。方角は北東になるので、正解は(A) Northeast corner である。

3. 正解：(D)

先読みpoint What ▶ 毎日午後1時に**何を**する？

攻略法 7文目に Lunch is at 1 o'clock every day on this project. （このプロジェクトでは、昼食は毎日1時です。）とあるので毎日1時にはランチがあるとわかる。続く8文目には You don't have to wait for me to get you; you can just go... （私が皆さんに言うのを待つ必要はありません。）と言っているので、毎日1時には自主的にランチに出かけても良いということが聞き取れる。したがって正解は「食事を食べにいく」の(D) Go have meals となる。

スクリプト

Questions 1 through 3 refer to the following announcement and floor plan.

Q1 話し手が示唆していることは？

Okay, before we start work, I first want to go over what we're supposed to accomplish here. We've got this floor to ourselves this weekend, and we want to finish everything before this business reopens on Monday. I want us to start by painting the walls in the desk and cubicle areas. That's going to be the hardest; we'll finish up in the hallway because that's easiest. Remember that there are a lot of computers, fax machines and other devices scattered around the office. We have to make sure not to drip paint on them or otherwise damage them. That's especially important. Lunch is at 1 o'clock every day on this project. You don't have to wait for me to get you; you can just go…uh…there are plenty of restaurants and diners in this neighborhood.

Q2 どこから塗られるか？   **Q3** 1時に何をする？

スクリプトの訳

問題1-3は次のアナウンスと間取り図に関するものです。

では、作業を開始する前に、最初に、ここで何を成し遂げるかをお話ししておきます。今週末このフロアを私たちだけで担当し、月曜日、ここのビジネスが再開する前にはすべてを終えるつもりです。皆さんにはデスクと個室の区域の壁の塗装から始めて欲しいと思います。それが最も難しいでしょう。仕事を最後に完成するのは最も簡単な廊下です。

オフィスの周りには、たくさんのコンピュータ、ファックス、そして他の装置が散乱していることを覚えておいてください。その上にペンキのしずくをたらしたり、傷つけたりしないようにしなければなりません。それが、特に重要です。このプロジェクトでは、昼食は毎日1時です。私が皆さんに言うのを待つ必要はありません。そのまま出かけて行くことができます…ああ…この近所には、たくさんのレストランと食堂があります。

設問・選択肢の訳

Esselus テレコミュニケーション、メインオフィス

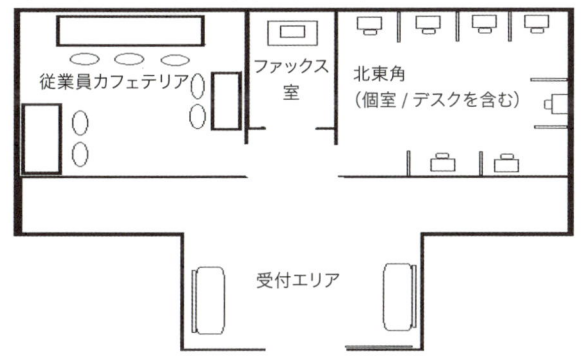

（間取り図：従業員カフェテリア、ファックス室、北東角（個室/デスクを含む）、受付エリア）

1. 話し手は、オフィスについて何を示唆していますか。
(A) 新しく修復された。　　　　　(B) スタッフがいない。
(C) いくつかの機械を交換している。　(D) 初めて開始する。

2. 間取り図を見てください。オフィスのどの部分が、最初に塗られますか。
(A) 北東角　　　　　　　　　　　(B) 北西角
(C) 受付エリア　　　　　　　　　(D) ファックス室

3. 聞き手は、毎日1時に何をするように言われていますか。
(A) コンピュータを起動すること　　(B) 装置を設置すること
(C) 会うのを待つこと　　　　　　　(D) 食事を取りに行くこと

☐ **floor plan**　間取り図
☐ **go over**　～を下見する、～を調べる、～を視察する
☐ **accomplish**　他 成し遂げる、達成する、完成する
☐ **cubicle**　名 個室
☐ **finish up**　仕上げる、しまいにする
☐ **hallway**　名 廊下
☐ **scatter**　他 まき散らす、ばらまく、散乱させる
☐ **drip**　他 しずくをたらす、ポタポタ落とす
☐ **otherwise**　副 さもなければ、別な方法で
☐ **renovate**　他 修復する、刷新する
☐ **reception**　名 受付、宴会、歓迎会
☐ **install**　他 （装置などを）取り付ける、設置する

Exercises 正解と解説→ p. 142

1. Why does the speaker thank the listeners?
   (A) They achieved a goal.
   (B) They updated a system.
   (C) They improved quality.
   (D) They corrected a mistake.

   Ⓐ Ⓑ Ⓒ Ⓓ

2. According to the speaker, what was received on June 8?
   (A) An extended deadline
   (B) Staff training materials
   (C) Customer requests
   (D) Overtime schedules

   Ⓐ Ⓑ Ⓒ Ⓓ

3. Who will assist in the new process?
   (A) A marketing committee
   (B) A staff agency
   (C) An advertising consultant
   (D) A government department

   Ⓐ Ⓑ Ⓒ Ⓓ

Lade Island Tours

Today's Schedule

9:00 A.M.	Dolphin-watching cruise
11:00 A.M.	Old Town bus tour
12:00 P.M.	Lakeside picnic
1:00 P.M.	Forest hike

4. What does the speaker mean when she says, "You won't regret it"?
   (A) A risk will be removed.
   (B) A disappointment can be avoided.
   (C) A time will be worthwhile.
   (D) A promise will be kept.

   Ⓐ Ⓑ Ⓒ Ⓓ

5. Look at the graphic. What activity has been canceled?
   (A) Dolphin-watching cruise
   (B) Old Town bus tour
   (C) Lakeside picnic
   (D) Forest hike

   Ⓐ Ⓑ Ⓒ Ⓓ

6. What are the listeners asked to do next?
   (A) Visit a hotel
   (B) Replace their IDs
   (C) Board a boat
   (D) Get on a vehicle

   Ⓐ Ⓑ Ⓒ Ⓓ

正解と解説

Questions 1-3 ★★★

1. 正解：(A) 　先読みpoint　Why ▶ どうして聞き手に対して**ありがたいと思っているのか**？

攻略法　冒頭では「従業員が新しい顧客の納期に間に合わせるために働いたこと」について触れている。続く2文目はI thank all of you for〜で始まっているので、forの後を聞き取ればthank（感謝）している理由がわかる。〜accomplishing that,〜と続いており、thatの指すものは冒頭の文なので、「彼らが納期に間に合った（こと）」を言い換えた(A) Thay achieved a goal. が正解である。

2. 正解：(C) 　先読みpoint　What ▶ 6月8日に受け取ったものは何？

攻略法　設問に具体的な日付が出ているので、聞き取りポイントがかなり明確にわかるはず。「June 8th〜June 8th〜」と心でつぶやきながら聞くと、3文目にYou should know that we received several new orders on June 8 and〜（お知らせするのは、6月8日に新しい注文を受けていること〜）と出てくる。したがって「受け取った注文」を言い換えた(C) Customer requests が正解である。

3. 正解：(B) 　先読みpoint　Who ▶ 新しい過程を**支援する人は誰か**を聞き取る。

攻略法　6文目にThey will assist our department in this process. とあるが、これを聞いた瞬間にTheyの指す、この前の文が正解のカギだったとわかる。前文の後半we're going to use a staffing agencyのstaffing agency（人材派遣会社）が6文目のTheyに当たる。一度聞いた英文の状況をきちんと覚えていられるかどうかが問われている。正解は(B) A staff agencyである。

> スクリプト

Q1 話し手が聞き手に対してありがたく思っていること

Questions 1 through 3 refer to the following announcement.

Everyone here worked hard to meet the production deadline for our new client, Foster Industries. I thank all of you for accomplishing that, despite the fact that we're short on staff. You should know that we received several new orders on June 8 and those might be hard to fill even if you worked overtime again. Therefore, the operations committee has authorized us to take on up to 35 new temporary employees. Instead of going through the time and expense of advertising for and interviewing these workers, we're going to use a staffing agency. They will assist our department in this process. Your normal work schedules or assignments won't be affected.

Q2 6月8日に受け取ったもの　　**Q3** 新しい過程を支援する人

> スクリプトの訳

設問1～3は次のアナウンスに関するものです。

我々の新しい顧客、フォスターインダストリーズの納期に向けて、皆さんは本当に一生懸命働いてくださいました。従業員が不足していたにもかかわらず、目標を達成できたことに感謝します。皆さんには6月8日にいくつかの新規注文を受けたことをお伝えしますが、今回は超過勤務で働いてもらうとしても、それらに応じるのは難しいでしょう。したがって、業務委員会により、最大35名の新たな臨時従業員の雇用が許可されました。時間と費用をかけて新たな従業員の募集広告やインタビューをする代わりに、我々は人材派遣会社を利用する予定です。彼らがこの仕事で我が社の部署を支援することになるので、通常の勤務スケジュールや業務には影響はないでしょう。

設問・選択肢の訳

1. なぜ話し手は聞き手に感謝しているのですか。
   (A) 目標を達成した。
   (B) システムを更新した。
   (C) 品質を向上させた。
   (D) 間違いを正した。

2. 話し手によると、6月8日に何を受け取りましたか。
   (A) 延長された納期
   (B) 従業員のトレーニング教材
   (C) 顧客の要求
   (D) 超過スケジュール

3. 誰が新たな過程を支援しますか。
   (A) マーケティング委員会
   (B) 人材派遣会社
   (C) 広告コンサルタント
   (D) 政府部門

- □ **production deadline** 納期
- □ **client** 名 顧客
- □ **accomplish** 他 達成する
- □ **despite** 前 〜にもかかわらず
- □ **committee** 名 委員会
- □ **authorize** 他 許可する
- □ **temporary** 形 臨時の
- □ **instead of** 〜の代わりに
- □ **expense** 名 費用
- □ **staffing agency** 人材派遣会社
- □ **assist** 他 支援する
- □ **department** 名 部署
- □ **assignment** 名 業務
- □ **achieve** 他 達成する
- □ **update** 他 更新する
- □ **correct** 他 正す
- □ **extend** 他 延長する
- □ **material** 名 教材
- □ **customer** 名 顧客

Questions 4-6 ★★ 🇨🇦

4. 正解：(C)　　先読みpoint　**What** ▶ 話し手はどんな意味で言っている？

攻略法　話し手は冒頭から I'm glad you all could get up early this morning for our tour.（私どものツアーのために、早起きしてくださったことを嬉しく思います。）と、集まったツアー客にお礼を述べている。それに続き You won't regret it.（決して後悔しないでしょう。）と言っているので、話し手は「早起きし集まったこと」を後悔させないつもりであることを示している。したがって正解は (C) A time will be worthwhile. となる。

5. 正解：(C)　　先読みpoint　**What** ▶ 何がキャンセルされた？

攻略法　設問を先に読むことで、アクティビティーのうちのどれかがキャンセルされたことが音声を聞く前にわかっている。選択肢は図表の右側と同じなので、おそらく図表の左側にある時刻のうちのどれかが音声に含まれていると予測しながら聞こう。4文目に Before we begin, you should know that the original 11:00 A.M. section of our schedule has been canceled.（出発の前に、元々予定されていた午前11:00の部分がキャンセルされたということをお知りおきください。）と言っているので、図表の11:00 A.M. の右の欄を見ると Old Town bus tour（オールドタウン・バスツアー）とあり、(C) Old Town bus tour が正解となる。

6. 正解：(D)　　先読みpoint　**What** ▶ 聞き手は何をするように言われている？

攻略法　「次に何をするか」の問題は文の最後の方に集中して聞くと、わかることが多い。この問題でも6文目（最終文）に To begin with, let's all board the tour bus.（まず初めは、ご一緒にツアーバスに乗り込みましょう。）と言っているので、正解は「乗り物に乗る」の意の (D) Get on a vehicle となる。

> スクリプト

Questions 4 through 6 refer to the following talk and schedule.

I'm glad you all could get up early this morning for our tour. You won't regret it. We're going to various parts of the island today, to see several of the most impressive attractions that make it such a great place to visit. Before we begin, you should know that the original 11:00 A.M. section of our schedule has been canceled. We're replacing it with a visit to an outdoor market, where you'll have a chance to look over a lot of locally-made arts and crafts. To begin with, let's all board the tour bus.

> スクリプトの訳

問題4-6は次の会話とスケジュールに関するものです。

私どものツアーのために、早起きしてくださったことをうれしく思います。決して後悔しないでしょう。ご一緒に今日は島のいろいろな地域に行き、素晴らしい訪問地となることに貢献している、最も印象的なアトラクションのいくつかを見ます。出発の前に、元々予定されていた午前11:00の部分がキャンセルされたということをお知りおきください。キャンセル部分は、青空市場の訪問に入れ替えます。そこではたくさんの地元で製作された美術品や工芸品を見学する機会があります。まず初めは、ご一緒にツアーバスに乗り込みましょう。

設問・選択肢の訳

```
レイド島ツアー
本日のスケジュール
```

午前9時	イルカ見物の周遊
午前11時	オールドタウン・バスツアー
正午	湖畔のピクニック
午後1時	森のハイキング

4. 話し手が「決して後悔しないでしょう」と言う時、何を意味していますか。
   (A) 危険が取り除かれること。
   (B) 失望は避けることができること。
   (C) 時間が価値があるものになること。
   (D) 約束が守られること。

5. スケジュールを見てください。どの活動がキャンセルされましたか。
   (A) イルカ見物の周遊
   (B) オールドタウン・バスツアー
   (C) 湖畔のピクニック
   (D) 森のハイキング

6. 聞き手は、次に何をするよう頼まれていますか。
   (A) ホテルを訪れること。
   (B) 彼らのIDを交換すること。
   (C) ボートに乗り込むこと。
   (D) 乗り物に乗ること。

- □ **regret** 他 後悔する
- □ **impressive** 形 印象的な
- □ **replace** 他 取り替える、交換する
- □ **look over** ざっと目を通す、通覧する、
- □ **craft** 名 工芸、手芸
- □ **to begin with** 最初は、初めは
- □ **board** 他 （船・列車・飛行機・バスなどに）乗り込む
- □ **worthwhile** 形 価値がある、やりがいがある
- □ **cruise** 名 周遊、巡航
- □ **vehicle** 名 車両（自動車・バス・トラックなど）、乗り物

DAY 11

解法㉑ 勝手な想像はしない！「映像化」しよう！
初、中級者はこうやって間違える

1 キーワードを勝手に決めてはいけない！

　どのレベルの受験者でも、似ている単語を含んだだけの選択肢に誤答してしまうのは、耳に残りやすい単語をキーワードと勘違いするから。キーワードとはあくまでも設問から得た聞き取りに必要な情報であるので、**リスニング中にたまたま頭に残った単語を勝手にキーワードと思い込んではダメです**。リスニング中は主語、動詞を英語の語順で処理しながら頭に状況を**「映像化」**することが大切ですが、それができていない学習者にとって頭に残りやすい単語は主に主語、動詞ではなく文の最後の方の修飾語であることが多い。

　つまり、**初、中級者がリスニングで何となく頭に残った単語は、重要ではない語であることがほとんどなのです**。文の最後の方の少し難しそうな語がたまたま聞こえたことを頼りに、自分で都合のいい日本語の文章を作ってしまうと、そのままそれが文全体の誤解につながります。出題者側はそんな受験者の心理をわかっているので、それにひっかかるように**わざわざ罠を散りばめておく**のです。

> 初心者がひっかかる罠
> **リスニングの音声を聞きながら、勝手にキーワードを決めてはいけない。**

　上級者が152ページのExampleの**設問**1. What is the report mainly about?（レポートの内容は何に関するものですか）を先読みしてExample 1の1文目を聞いたとしましょう。音声が流れ始め、San Francisco-based Fantel Corporation **announced** today **that it intends to sell its manufacturing division** to Rao Industries, headquartered in Bangalore.の部分を聞けば、すぐにレポートの内容はannounced todayの後の**that節**を聞けばいい、と判断できるでしょう。

設問から得た必要な情報	リスニング中にたまたま頭に残った語
announced , that 節	headquarterd , Bangalore

　しかし、初、中級に多いのが、この文を聞いた直後に最後の方の語だけが頭に残り、それを「headquarter?　Bangalore?　ヘッドクオーターって何だっけ？　えっと確か本社だったなあ、ラッキー！　思い出せた。でも、バンガロー？　あ

れ？」などとつぶやき、勝手な連想が始まり、出題者の思うツボにはまってしまうこと。**そもそも余計なことをつぶやいている間に、せっかく聞き取れた前半部分を忘れてしまうのです。**

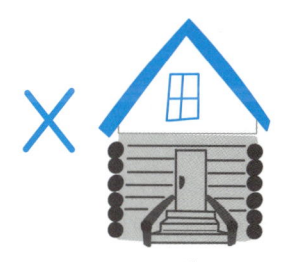

バンガロー

初心者でもこれだけはできる！

　文の最後の方の少し難しそうな語がたまたま聞こえたことを頼りに、自分で都合のいい日本語の文章を作ってしまうと、そのままそれが文全体の誤解につながります。出題者側はそんな受験者の心理をわかっていますので、それにひっかかるようにわざわざひっかかりそうな罠をちりばめておくのです。

　次の解法では「関連語」「似た発音」の罠を探してみましょう。

第4章 Part4：説明文問題

解法㉒ 関連語に飛びつかない！
Part 4でも「発音が同じ単語」の罠がある

1　「言い換え」は正解。「関連語」「似た単語」「同じ単語」は要注意！

　リスニング・セクション全般に渡り、写真、設問、会話文に出てくるものを「言い換えた表現」が正解、「似た発音」「関連語」「同じ単語」を含む選択肢は間違いである可能性が高いので要注意であるということを学習してきました。

　Part 4でも誤答選択肢のパターンは同じですが、1つの例外として**同じ単語を含む選択肢も正解であることが多くなります**。説明文、選択肢ともにPart 1〜3より長いため、すべての表現を言い換えていなくとも難易度は十分高いと言えるでしょう。

2　「関連語」に飛びつかない！

　Example では、「言い換え」が正解、「似た発音」「関連語」が間違いになっています。

　例えば、Example の設問1のWhat is the report mainly about?（このレポートは主に何に関するものですか）という質問に対して、説明文中の1文目 Fantel Corporation announced today that it intends to sell its manufacturing division to Rao Industries,〜（サンフランシスコを拠点としたファンテル社が今日発表したのは製造部門をラオ・インダストリーズ社に売却する意思があるということ）を**一言で**「**言い換え**」**ている**選択肢が正解。

(A) A product campaign ⇒ **不正解** ×
　説明文中のproducingの「**関連語**」で間違い。
(B) International trade ⇒ **不正解** ×
　説明文中のSan Francisco、Bangaloreなどの都市名、domestic（国内の）等から連想できる「**関連語**」。Part 1同様、関連語を含む選択肢に飛びつかないようにしよう。
(D) Quarterly performance ⇒ **不正解** ×
　「四半期の実績」は1文目の最後〜headquartered in Bangalore.と「**似た発音**」であり、間違い。

| 高得点を目指すテクニック |

　Part4のみ本文中と同じ単語を含む選択肢が正解になることが多いです。

　例えば例題の3問目では（→次のページの例題参照）「言い換え＋同じ単語」が正解。「同じ単語のみ」が間違いです。「ファンテル社は何に成功してきましたか」に対して、正解は（D）Creating new patents「新しい特許権を創ること」。説明文の最後の文の後半 ~where it has succeeded in developing hundreds of marketable patents. を「言い換え」ていますが最後のpatentsが選択肢と「同じ単語」です。

　誤答選択肢の(A)のcompetitors、(B)のhardware、(C)のmediaそれぞれが説明文中の語と「同じ単語」であることを確認しておきましょう。

Example

1. What is the report mainly about?
   (A) A product campaign
   (B) International trade
   (C) A business plan
   (D) Quarterly performance

   Ⓐ Ⓑ Ⓒ Ⓓ

2. According to the report, when will the change take place?
   (A) On September 5
   (B) On September 10
   (C) On September 20
   (D) On September 30

   Ⓐ Ⓑ Ⓒ Ⓓ

3. What has Fantel Corporation succeeded in doing?
   (A) Selling more than its competitors
   (B) Entering overseas hardware markets
   (C) Designing social media sites
   (D) Creating new patents

   Ⓐ Ⓑ Ⓒ Ⓓ

解答・解説

Questions 1-3 ★★★ 🇺🇸

1. 正解：(C) 先読みpoint **What ▶ 何に関する報告**か聞き取ろう。

攻略法 冒頭は San Francisco-based Fantel Corporation announced today〜 とあり、ファンテル社が発表した内容についての報告だとわかる。報告の内容は続く〜that it intends to sell its manufacturing division to Rao Industries,より、「製造部門をラオ・インダストリー社に売却する意思がある」とのことなので、これを言い換えた (C) A business plan が正解である。

2. 正解：(B) 先読みpoint **When ▶ 変更はいつ行われるか？**

攻略法 設問の第2問目で数値が問われることはよくあるが、その場合、説明文を聞きながら、「数字らしいものが聞き取れた」からと、急いでマークしないように。この文中にも300、10、20と数字が順番に出てくるが、聞き取りポイントは2文目の後半 with the transaction being formally completed on September 10. の個所。正解は9月10日。(B) On September 10 である。

3. 正解：(D) 先読みpoint **What ▶ ファンテル社は何に成功して来た？**

攻略法 最後の4文目 In a media release, Fantel Corporation stated that it would focus on design（報道発表では、ファンテル社は設計に集中する）と述べている。その後に where it has succeeded in developing hundreds of marketable patents. と続き「特許の開発に成功している」と言っているので、(D) Creating new patents（新しい特許を作ること）が正解である。

高得点ゲット！ Part 4のみ本文中と**同じ単語を含む選択肢が正解**になることが多い。「言い換え＋同じ単語」**が正解**で、「同じ単語のみ」が間違い。正解の (D) Creating new patents の下線部分は、説明文の最後の1文の後半部分である〜where it has succeeded in developing hundreds of marketable patents. の下線部分を**「言い換え」**ているが、最後の patents が選択肢と**「同じ単語」**。(A) competitors、(B) hardware、(C) media は、それぞれが説明文中の語と**「同じ単語」**であることを確認しておこう。

スクリプト

Q1 何についての報告か？
Q2 変更はいつ行われるか？

Questions 1 through 3 refer to the following news report.

San Francisco-based Fantel Corporation announced today that it intends to sell its manufacturing division to Rao Industries, headquartered in Bangalore. The purchase price remains confidential but many analysts estimate it to be around 300 million dollars, with the transaction being formally completed on September 10. Fantel Corporation had been producing telecommunications hardware for domestic businesses for over 20 years but has recently been losing market share to its major competitors. In a media release, Fantel Corporation stated that it would focus on design, where it has succeeded in developing hundreds of marketable patents.

Q3 ファンテル社が成功したこと

スクリプトの訳

設問1-3は次のニュース報告に関するものです。

サンフランシスコを本拠地とするファンテル社は本日、製造部門をバンガロールに本社を置くラオ・インダストリーズ社に売却する意向であることを発表しました。購入価格は明らかにされていませんが、多くのアナリストは、9月10日に正式に完了する売買取引は約3億ドルになると見積もっています。ファンテル社は、20年以上にわたり国内企業向けの通信ハードウェアを生産してきましたが、最近はその市場シェアを大手の競合他社に奪われつつあります。報道発表で、ファンテル社は、数百の売れる特許の開発に成功している設計に業務を集中させると述べたようです。

設問・選択肢の訳

1. 主に何についての報告ですか。
   (A) 製品のキャンペーン
   (B) 国際貿易
   (C) 事業計画
   (D) 四半期の業績

2. 報告によると、いつ変更が行われますか。
   (A) 9月5日
   (B) 9月10日
   (C) 9月20日
   (D) 9月30日

3. ファンテル社は何をすることに成功していますか。
   (A) 競合他社よりも多く販売すること
   (B) 海外のハードウェア市場へ参入すること
   (C) ソーシャルメディアサイトをデザインすること
   (D) 新しい特許を作ること

- □ **-based** 形 〜を本拠地とする、〜に本拠地を置く
- □ **intend to** 〜するつもりである
- □ **division** 名 部門
- □ **remain** 自 〜のままである
- □ **analyst** 名 アナリスト
- □ **transaction** 名 売買、取引
- □ **domestic** 形 国内の
- □ **state** 他 述べる
- □ **campaign** 名 キャンペーン
- □ **quarterly** 形 四半期の
- □ **take place** 行われる
- □ **manufacturing** 形 製造の
- □ **headquarter** 他 本社を置く
- □ **confidential** 形 機密の
- □ **estimate** 他 見積もる
- □ **telecommunications** 名 通信
- □ **competitor** 名 競合他社
- □ **marketable** 形 市場向きの、売れる
- □ **trade** 名 貿易
- □ **performance** 名 業績
- □ **patent** 名 特許

Exercises 正解と解説→ p. 158

1. According to the speaker, what is a problem for many businesspeople?
   (A) Finding efficient airports
   (B) Having unproductive waits
   (C) Purchasing reliable luggage
   (D) Getting accurate research

   Ⓐ Ⓑ Ⓒ Ⓓ

2. What does the speaker recommend listeners do?
   (A) Reserve tickets early
   (B) Limit conference time
   (C) Expand a small office area
   (D) Use telecommunications

   Ⓐ Ⓑ Ⓒ Ⓓ

3. What will the listeners most likely hear next?
   (A) Travel schedules
   (B) Team listings
   (C) Business advice
   (D) Desk prices

   Ⓐ Ⓑ Ⓒ Ⓓ

4. What is mainly being advertised?
   (A) A seminar
   (B) A book signing
   (C) A facility launch
   (D) A product release

5. Where will people have a chance to speak with Mr. Fong?
   (A) In the auditorium
   (B) In the library lobby
   (C) In the garden
   (D) In the coffee shop

6. What restriction does the advertisement mention?
   (A) Reservations are required.
   (B) Fees are non-refundable.
   (C) Receptions are not open to the general public.
   (D) Event space is limited.

正解と解説

Questions 1-3 ★★★ 🇬🇧

1. 正解：(B) 先読みpoint **What ▶「ビジネスマンにとっての問題点は何か」を聞き取ろう。**

攻略法 冒頭から集中して聞き、Wasted time at the airport is regularly identified as a major problem より「空港での無駄な時間＝問題だ」という内容を捉えるようにしよう。〜for many business people. と聞いた時点で、設問の答えだと確定し、すぐにマークシートにチェックを入れる。「生産性のない待ち時間」が問題なので、(B) Having unproductive waits を正解とする。

2. 正解：(D) 先読みpoint **What ▶ 聞き手に推奨していることは何？**

攻略法 冒頭から説明文の中盤にわたって、話し手は「空港での無駄な待ち時間の有効的な使い方」について述べている。会議室の紹介のあと、8文目には You can also stay connected to clients or the main office through airport wireless systems とあり、空港の無線システムを使用することが勧められている。したがって正解は (D) Use telecommunications である。

3. 正解：(C) 先読みpoint **What ▶ 聞き手は次に何を聞く？**

攻略法 3問目に典型的な、「次にすること」の問題。最後の方の文に集中する。9文目から「今から話し手が話すことがコツだ」とわかる。10文目は Over the next hour, で始まっているので、次の時間に予定されていることがこの後述べられる。「空港での時間をどのように会社の机での時間と同じくらい効果的に使えるか」とあるので「時間の有効な使い方」であり、選択肢の中で最も意味の近い (C) Business advice が正解である。

> スクリプト

Questions 1 through 3 refer to the following talk.

Wasted time at the airport is regularly identified as a major problem for many businesspeople. Some of you may be taking advantage of e-ticket systems or only bringing carry-on pieces of luggage so that you can get to boarding areas quicker. Those are certainly good ideas. However, you don't have to spend your time idly at major airports. Recent research shows that airport time can be used to get a significant amount of work done. For example, many airports now have conference rooms that you can reserve. Whether you're alone or with a team, make good use of these rooms for in-person or online meetings. You can also stay connected to clients or the main office through airport wireless systems. These are just a few of the tips you'll hear from me today. Over the next hour, I'll show you how you can use an hour at the airport as effectively as you would an hour at your desk.

Q1 ビジネスマンにとっての問題点
Q2 聞き手に推奨していること
Q3 聞き手が次に聞くこと

> スクリプトの訳

設問1-3は次の話に関するものです。

多くのビジネスマンは、空港で無駄に時間を過ごすことは大きな問題だと認識しています。皆さんの中には電子チケットシステムを利用したり、早く搭乗エリアに行けるよう機内用の手荷物だけを持っていく人もいるでしょう。確かに良いアイディアです。しかし主要空港で空しく時間を過ごす必要はありません。最近の研究によると、空港での時間でかなりの量の仕事がこなせます。例えば、現在多くの空港には予約可能な会議室があります。1人でも複数でも、通常会議やオンライン会議にこれらの部屋を十分に活用できます。また、空港無線システムによって顧客やメインオフィスとの接続もできます。これらは本日の紹介するヒントのほんの一部に過ぎません。次の時間は、空港での時間をどのように会社の机での時間と同じぐらい効果的に使えるかをご紹介します。

設問・選択肢の訳

1. 話し手によると、多くのビジネスマンにとって何が問題ですか。
   (A) 効率的な空港を見つけること
   (B) 生産的でない待ち時間を過ごすこと
   (C) 信頼できる旅行カバンを購入すること
   (D) 正確な研究結果を得ること

2. 話し手は聞き手に何を推奨していますか。
   (A) チケットを早めに予約する。
   (B) 会議時間を制限する。
   (C) 小規模オフィスエリアを拡大する。
   (D) 通信を使用する。

3. 聞き手は次に何を聞きますか。
   (A) 旅行スケジュール
   (B) チームの名簿
   (C) ビジネスの助言
   (D) 机の価格

□ **wasted** 形 無駄な
□ **take advantage of** 〜を利用する
□ **luggage** 名 手荷物
□ **idly** 副 空しく
□ **significant** 形 かなりの
□ **make good use of** 〜を活用する
□ **tips** 名 ヒント
□ **efficient** 形 効率的な
□ **accurate** 形 正確な
□ **expand** 他 拡大する
□ **listing** 名 名簿

□ **identify** 他 意識する
□ **carry-on** 形 機内に持ち込める
□ **boarding** 名 搭乗
□ **research** 名 研究（結果）
□ **conference room** 会議室
□ **in-person** 形 直接の、対面の
□ **effectively** 副 効果的に
□ **unproductive** 形 非生産的な
□ **recommend** 他 推奨する
□ **telecommunications** 名 通信

Questions 4-6 ★★ 🇨🇦

4. 正解：(A) 先読みpoint **What** ▶ 何の宣伝かについて聞き取ろう。

攻略法 冒頭ではサイモン・フォン氏の来館を発表しているが、これだけではサイモン氏の職業がわからないので、解答できない。3文目にフォン氏の紹介があり、「受賞歴のある科学者であり『時間と空間』の著者でもあるフォン氏」が「最新の理論と専門分野の動向」を話に来ることがわかる。したがってこの内容に一番近い(A) A seminarが正解である。

5. 正解：(C) 先読みpoint **Where** ▶ 人々が**フォン氏と会話できる場所**はどこか？

攻略法 設問を先読みすることによって、この説明文の中では「人々はフォン氏と会話ができる機会がある」という情報をあらかじめ得ておこう。そうすると、4文目にAfterwards, there will be a coffee reception in the garden outside（その後に外庭でコーヒーレセプションがあり）と始まったときに、ここが会話できる場所だろうかと、ある程度、展開を予測しながら聞くことが可能になる。予想通り〜to ask Mr. Fong any questions you may have. とあるので、正解は(C) In the gardenである。

6. 正解：(D) 先読みpoint **What** ▶ どのような制限について述べられているか聞き取ろう。

攻略法 この設問も先読みすることによって、「何かの制限について言及する場所がある」ことがあらかじめ想像することができ、理解の助けとなる。6文目にReservations are not necessary（予約は必要ではありません）とあるので、この時点で(A)は排除しよう。〜but seating is limited to the first 300 who arrive.（しかし座席は先着300名に限られている）の個所から正解は(D) Event space is limited. だとわかる。

Questions 4 through 6 refer to the following advertisement.

Northwest Library is pleased to announce the upcoming appearance of Simon Fong. This will take place on December 4 at 6:00 P.M. in our main auditorium. Mr. Fong, award-winning scientist and author of the book *Time and Space*, will speak about some of his latest theories and some of the most exciting trends taking place in his field. Afterwards, there will be a coffee reception in the garden outside, where you may have a chance to ask Mr. Fong any questions you may have. This will be an outstanding educational and social opportunity, available to the public at no fee. Reservations are not necessary but seating is limited to the first 300 who arrive. We hope to see you there!

設問4-6は次の広告に関するものです。

北西図書館では、サイモン・フォン氏が近日来館されることを喜んでお知らせします。12月4日午後6時に大講堂にて実施予定です。受賞歴のある科学者であり『時間と空間』の著者でもあるフォン氏は、彼の最新の理論と彼の分野での最もエキサイティングな動向についていくつかお話をします。その後、外庭にて行われるコーヒーレセプションでは皆様方はフォン氏に何でも質問できる機会が得られます。この特別で、ためになる社交の機会は無料で一般公開されます。予約は必要ありませんが、先着300名限定の座席です。では会場でお会いしましょう！

設問・選択肢の訳

4. 主に何を宣伝していますか。
   (A) セミナー
   (B) 本のサイン会
   (C) 施設の立ち上げ
   (D) 製品の発表

5. 人々はどこでフォン氏と話す機会がありますか。
   (A) 講堂
   (B) 図書館のロビー
   (C) 庭
   (D) コーヒーショップ

6. 広告ではどのような制限について述べていますか。
   (A) 予約が必要である。
   (B) 料金は払い戻ししない。
   (C) レセプションは非公開である。
   (D) イベント会場は限られている。

☐ **pleased** 形 喜んで
☐ **upcoming** 形 今度の
☐ **auditorium** 名 講堂
☐ **award-winning** 形 受賞歴のある
☐ **field** 名 分野
☐ **afterwards** 副 その後
☐ **reception** 名 レセプション、歓迎会
☐ **outstanding** 形 素晴らしい
☐ **opportunity** 名 機会
☐ **available** 形 利用できる
☐ **facility** 名 施設
☐ **launch** 他 開始する
☐ **release** 名 発表
☐ **required** 形 必須の
☐ **non-refundable** 形 払い戻しのない
☐ **public** 形 公開の

DAY 12

解法 23 「メッセージ」「アナウンス」「広告」を攻略しよう
試験中に単語を思い出せるようにしておく

1 試験勉強の目的

（初心者がひっかかる罠） 初級者にありがちなことだが、英語を聞くときには、**最近覚えた難しい単語が聞けたからと言って満足する**だけではダメです。英文の中で、知っている単語を探すのではなく、過去に一度マスターした英語の言い回し、構造、背景知識を試験中に思い出して正解を導くことができるようにしなければなりません。そのために頭の中の引き出しを膨大な量の単語、構文、背景設定で満たしておきましょう。

　Part 4では説明文の設定が限られています。ここでは冒頭の言い回しや背景設定を一度イメージしておきましょう。そして代表的な説明文の状況設定を覚えておきます。本番の試験では冒頭の英文が流れてから**早い段階でどのタイプか判断し、流れに乗りましょう**。

①音声メッセージ
施設、病院、店舗からの確認メッセージ、ビジネスにおける商品・注文の問い合わせのメッセージ、電話案内など

ポイント 目的、曜日、時間、今後の連絡方法などの詳細をしっかりと準備してから聞こう。

【確認メッセージ】
冒頭パターン　This is Healthful Dentist calling to remind Mr. Moore of his appointment on Saturday, 3:00 P.M.
　　　　　　（ヘルスフル歯科より、ムーア様に土曜日の午後3時のご予約についての確認のため、お電話差し上げております）
流れ　　　　　電話をかけた人の紹介 → 電話の目的 → 解決策 → 確認事項 → 連絡方法

【ビジネス】
冒頭パターン　Mr. Hall, this is Roger Taylor speaking.
　　　　　　（ホールさん、ロジャー・テイラーです）
流れ　　　　　誰宛のメッセージか → 電話をかけた人の紹介 → 連絡事項 → 解決策

【電話案内】
冒頭パターン　Thank you for calling the Peter's Museum.
　　　　　　（ピーターズ美術館にお電話ありがとうございます）

You have reached Top Supermarket.
（トップスーパーマーケットにつながっております）

流れ　　電話がかかった場所 → 営業時間、曜日 → 用件に応じたプッシュ番号、指示

②アナウンス

空港での搭乗案内、機内アナウンス、公共施設、店、ショッピングモール、ビジネスイベントの会場、社内でのアナウンスなど

ポイント 最初の数秒で必ず「場所」と「話し手」を確認しよう。

【空港アナウンス】

冒頭パターン　Welcome to Heathrow International Airport.
　　　　　　　（ヒースロー国際空港へようこそ）

流れ　　あいさつ → 出発の遅延、理由 → ゲートの変更 → 代替案、注意事項

【機内アナウンス】

冒頭パターン　Good morning, passengers, this is your pilot〜.
　　　　　　　（ご搭乗の皆様、おはようございます。こちらは機長〜です）
　　　　　　　Attention, all passengers.
　　　　　　　（ご搭乗の皆様へお伝えします）

流れ　　あいさつ → 現状の説明 → 目的地への到着時刻、天候 → 映画、食事の案内

③広告

セール、新製品の案内、レストラン、ホテルなど

ポイント 冒頭から「話し手」「聞き手」「何が宣伝されているか」を確認しよう。商品の値段、割引率、など数字を扱った選択肢はしっかりと該当箇所を準備して音声を待とう。

【セールの案内】

冒頭パターン　Attention, shoppers.（お客様にお知らせいたします）
　　　　　　　We will be closing in 10 minutes.（あと10分で閉店いたします）

流れ　話し手の紹介 → 商品説明 → 特典、割引 → 購入方法

【レストラン】

冒頭パターン　There will be a banquet tonight at the Toni restaurant from 7:00 P.M. to 9:00 P.M.
　　　　　　　（トニー・レストランで午後7時から午後9時に宴会があります）

流れ　　あいさつ → 場所 → 料理の説明 → 来店、オーダーの誘い

DAY 12

解法 ㉔ 「スピーチ」「ニュース」「ガイドツアー」を攻略しよう
上級者は説明文全体で伝えたい内容を理解する

　Part 4に出題される英文を正確に聞き取るために、ここで挙げたものを参考に練習問題の冒頭、状況設定などを一通り確認しておきましょう。

高得点を目指すテクニック　単語ごとに区切って聞き取るのではなく、説明文全体で伝えたい内容を理解するようにしましょう。

①スピーチ
社内スピーチ、受賞者の司会者による紹介、イベント、プレゼン、セミナーなど

ポイント 社内での就任、引退スピーチ、イベント、プレゼン、セミナー、主役や受賞者があいさつする前に人物紹介をするスピーチなどが出題される。何に関するスピーチか、聞き手は誰なのかに着目しましょう。

【引退スピーチ、人物紹介】
冒頭パターン　May I have your attention, please?（皆さんにお伝えします）
　　　　　　Good morning, thank you all for coming to〜.
　　　　　　　（おはようございます。本日は〜にお越しいただきありがとうございます）
　　　　　　I regret to inform you that Mr. Ingram,〜
　　　　　　　（残念ながら、イングラム氏が〜することをお伝えします）
流れ　　　　集まりの主旨 → スピーカーの経歴 → 人物の今後の肩書、期待 → あいさつ

【社内イベント】
冒頭パターン　Attention, employees,〜（社員の皆様にお伝えします）
　　　　　　I'm pleased that the company will expand〜
　　　　　　　（我が社が拡大することを光栄に思います）
流れ　　　　あいさつ → イベントの日程 → 詳細 → 次の作業

②ニュースレポート
ニュース、交通情報（渋滞、事故）、天気予報、災害レポートなど

ポイント 情報量が多いので、現状、原因、指示などのうち必要な情報は何かということを準備して聞き取りましょう。

【ニュース】

冒頭パターン　And now for the business update. This is Monica Ramirez with the Market Today.
　　　　　　（ビジネスの最新ニュースです。モニカ・ラミレスがマーケット・トゥデイをお伝えします）

流れ　ニュースのテーマ → 現状 → 対処法、指示 → 今後の予測 → 次の番組

【交通情報】

冒頭パターン　Good afternoon, listeners. This is Thomas Bailey with your traffic news on Tuesday.
　　　　　　（リスナーの皆様こんにちは。火曜日の交通情報を、トーマス・バイリーがお伝えします）

流れ　自己紹介 → 交通情報、現状 → 対処法、アドバイス → 今後の予測 → 次の番組

③ガイドツアー

観光地のガイド、工場、美術館など

ポイント 冒頭ではガイドの自己紹介と案内する場所、歴史などが話され、昼食時間や集合時間がよく出題される。次に行く場所についても考えながら聞き取りましょう。

【観光ガイド】

冒頭パターン　Good morning. My name is Tim Lawrence. I'll be your tour guide today.
　　　　　　（おはようございます。本日のガイドを務めさせていただきます、私はティム・ローレンスです）

　　　　　　I'd like to thank you for touring with me.
　　　　　　（本日はご一緒に旅行でき、うれしく思います）

　　　　　　Thank you for joining us for the tour〜.
　　　　　　（〜ツアーにご参加くださり、ありがとうございます）

流れ　自己紹介 → 観光の日程 → 注意事項 → 食事の案内 → 次の行動、場所

【工場、美術館見学】

冒頭パターン　Welcome to the Central Green Art Museum.
　　　　　　（セントラルグリーン美術館にようこそ）

　　　　　　I'll be showing around the manufacturing plant today.
　　　　　　（本日は、私が皆様にこの製造工場のご案内をいたします）

流れ　自己紹介 → 現在地 → 建物の構造・歴史 → 注意事項 → 次の行動、場所

Example

CD1 71

1. What type of business most likely is APO?
   (A) A consulting agency
   (B) A private hospital
   (C) A charity group
   (D) An investment firm

   Ⓐ Ⓑ Ⓒ Ⓓ

2. Why are listeners directed to a Web site?
   (A) To post personal feedback
   (B) To understand developments
   (C) To sign up for work projects
   (D) To donate to find cures

   Ⓐ Ⓑ Ⓒ Ⓓ

3. Who is Samantha Collins?
   (A) A meal server
   (B) An educator
   (C) A senior vice-president
   (D) A financial grant manager

   Ⓐ Ⓑ Ⓒ Ⓓ

解答・解説

Questions 1-3 ★★★ 🇦🇺

1. 正解：(C)　先読みpoint　What ▶ APOは何の業種か？

攻略法　冒頭でディナーに参加した人たちにお礼を言っているが、1文目の後半で～for which each of you paid 5,000 pounds.（皆様はこのために5,000ポンドをお支払いになりました）と支払った金額を発表するのは普通のディナーのスピーチとしては不自然だと感じる。疑問に思ったまま2文目を聞くとWe at the Atlantic-Pacific Organization, or APO, will use the money we raise here to fund various research in the medical field. とあり、医療分野における研究に資金提供をする団体だとわかる。続く3文目もAs a non-profit organization（非営利団体として～）と始まっているので正解は(C) A charity groupである。

2. 正解：(B)　先読みpoint　Why ▶ 聞き手が**ホームページに案内されている理由**を聞く。

攻略法　4文目にWe encourage you to visit our Web site（あなたがたにホームページをご覧になることをお勧めします）とある。続くto不定詞の後を聞けばよい。～to find out more details about the work we're involved in.（私たちの仕事のさらなる詳細を見るため）とあるのでこれを言い換えた(B) To understand developmentsが正解である。

3. 正解：(B)　先読みpoint　Who ▶ サマンサ・コリンズは誰？

攻略法　サマンサ・コリンズの名前は5文目に初めて出てくる。we're going to hear from Samantha Collins, ～と聞こえたらすぐに心の準備をしよう。～senior professor at Baker University. とあるので「教育者」だとわかる。正解は(B) An educatorとなる。

> スクリプト

Questions 1 through 3 refer to the following speech.

Q1 APOの業種

Thank you for attending this dinner, for which each of you paid 5,000 pounds. We at the Atlantic-Pacific Organization, or APO, will use the money we raise here to fund various research in the medical field. As a non-profit organization, our funds enable researchers to look for cures for many of the most severe diseases. We encourage you to visit our Web site to find out more details about the work we're involved in. Before we begin serving you the promised 4-course meal, we're going to hear from Samantha Collins, senior professor at Baker University. She's going to explain how her institution has benefitted from receiving regular financial grants from us.

Q3 サマンサ・コリンズ氏とは？

Q2 聞き手がホームページに案内される理由

> スクリプトの訳

設問1-3は次のスピーチに関するものです。

ディナーにご出席いただきありがとうございます。皆様はこのために5,000ポンドをお支払いになりました。我々、大西洋・太平洋組織（APO）は、ここに募ったお金を医療分野でのさまざまな研究活動に提供いたします。非営利団体（NPO）としての私たちの資金は研究者たちに最も重い病気の多くの治療法を探求することを可能にします。私たちが関わっている仕事のさらなる詳細を知っていただくために、ホームページをご覧になることをお勧めします。お約束の4品のコース料理の前に、ベイカー大学のシニア教授であるサマンサ・コリンズ氏のお話を聞くことにしましょう。彼女の施設が我々から定期的な財政上の助成金を受けていることについてお話ししてくれるでしょう。

設問・選択肢の訳

1. APOはどのような業種だと考えられますか。
   (A) コンサルティング業
   (B) 民間病院
   (C) 慈善団体
   (D) 投資会社

2. 聞き手はなぜホームページへ案内されているのですか。
   (A) 個人的な意見を投稿するため。
   (B) 動向を理解するため。
   (C) 作業プロジェクトに申し込むため。
   (D) 治療法を見つけるための寄付をするため。

3. サマンサ・コリンズ氏は誰ですか。
   (A) 食事の給仕人
   (B) 教育者
   (C) 上級副社長
   (D) 金融助成担当マネージャー

☐ **raise** 他 募る
☐ **non-profit organization** 非営利団体（NPO）
☐ **cure** 名 治療法
☐ **encourage** 他 推奨する
☐ **promise** 他 約束する
☐ **institution** 名 施設
☐ **financial** 形 金融の、お金の
☐ **consulting** 形 相談の
☐ **feedback** 名（情報・質問を受ける側からの）意見
☐ **development** 名 動向
☐ **educator** 名 教育者
☐ **fund** 他 資金を供給する
☐ **disease** 名 病気
☐ **involve** 他 関係させる
☐ **meal** 名 食事
☐ **benefit** 自 利益を得る
☐ **grant** 名 助成金
☐ **investment** 名 投資
☐ **donate** 自 寄付する

Exercises 正解と解説→ p. 174

CD1 72

1. According to the speaker, when was the equipment last replaced?
    (A) 1 year ago
    (B) 3 years ago
    (C) 4 years ago
    (D) 6 years ago

    Ⓐ Ⓑ Ⓒ Ⓓ

2. Where was the factory cited as one of the best?
    (A) Over the Internet
    (B) In an employee survey
    (C) At a government facility
    (D) In a university study

    Ⓐ Ⓑ Ⓒ Ⓓ

3. What are listeners asked to do?
    (A) Speak with company staff
    (B) Wear protective clothing
    (C) Enjoy a free meal
    (D) Contact a fitness center

    Ⓐ Ⓑ Ⓒ Ⓓ

4. What is mainly being advertised?
    (A) A line of cars
    (B) A vacation package
    (C) A repair center
    (D) A business service

5. What feature is mentioned in the advertisement?
    (A) Competitive prices
    (B) High speed
    (C) Large profits
    (D) Significant comfort

6. According to the advertisement, who provided an endorsement?
    (A) A taxi corporation
    (B) A business association
    (C) A news service
    (D) A car manufacturer

正解と解説

Questions 1-3 ★★ 🇬🇧　CD1 72

1. 正解：(B)　先読みpoint **When** ▶ 最後に**機器を取り替えたのはいつ**か聞き取ろう。

攻略法　設問先読みを踏まえてwhen、equipment、replaceなどの単語を心の中でつぶやきながら説明文の音声を待つと、3文目にFor instance, most of its equipment was replaced with the newest models（例えば、機器の多くは最新のモデルに取り換えられました）とある。ここで集中力を高めておこう。続いて〜only 3 years ago. とあるので、(B) 3 years ago（3年前）が正解である。

2. 正解：(A)　先読みpoint **Where** ▶ この工場は**どこで**最高の施設の1つに**挙げられた**のか聞き取ろう。

攻略法　4文目にOne year ago, it was even cited by www.production21.comとあるので、インターネットのサイトで取り上げられたことがわかる。したがって正解は(A) Over the Internet（インターネットを通じて）である。これに続くas "one of the best facilities in its industry"（[業界で最高の施設の一つ]として）より、設問で聞かれているのがこの部分だと確信できる。

3. 正解：(B)　先読みpoint **What** ▶ **聞き手は何をする**ように言われているか。

攻略法　最後の7文目Please put on your safety helmets and glasses〜（安全ヘルメットと眼鏡をかけてください）より、安全用の「ヘルメット」と「眼鏡」を、「防護服」に言い換えた(B) Wear protective clothingが正解だとわかる。

スクリプト   **Q1** 機器を取り替えたのはいつ？

Questions 1 through 3 refer to the following talk.

The Waterston Chemical Factory Number 7 has been in operation for over 48 years. Yet, it's a very up-to-date facility because it has been regularly upgraded. For instance, most of its equipment was replaced with the newest models only 3 years ago. One year ago, it was even cited by www.production21.com as "one of the best facilities in its industry." We also have very motivated and loyal staff. That's because we have a large number of conveniences for them, including a fitness center, cafeteria that offers one free meal per work shift, and a fully-stocked lounge that has audio and video players. Please put on your safety helmets and glasses and I'll lead you inside.

Q3 聞き手がするように言われていること   **Q2** 工場が取り上げられた所

スクリプトの訳

設問1-3は次の話に関するものです。

ウォーターストン化学工場7号は48年以上稼働してきました。しかし定期的に改良が加えられ、最新の施設となっています。例えば、機器の多くはわずか3年前に最新のモデルに取り換えられました。1年前には、工場はwww.production21.comにおいて「業界最高の施設の1つ」に挙げられました。また従業員は非常に積極的で、誠実です。それはフィットネスセンター、シフトごとに無料の食事を提供するカフェテリア、そしてオーディオやビデオプレーヤー等、品ぞろえ豊富なラウンジを含む数多くの便利な施設が理由です。ここで安全ヘルメットと眼鏡をおかけください、内部をご案内いたします。

設問・選択肢の訳

1. 話し手によると、最後に機器を取り換えたのはいつですか。
    (A) 1年前
    (B) 3年前
    (C) 4年前
    (D) 6年前

2. この施設はどこで最高のものの1つに挙げられましたか。
    (A) インターネット経由で
    (B) 従業員の調査で
    (C) 政府の施設で
    (D) 大学の研究で

3. 聞き手は何をするように言われていますか。
    (A) 会社の従業員と話す。
    (B) 防護服を着る。
    (C) 無料の食事を楽しむ。
    (D) フィットネスセンターに問い合わせる。

- **chemical** 形 化学の
- **factory** 名 工場
- **operation** 名 運営
- **up-to-date** 形 最新の
- **facility** 名 施設
- **upgrade** 他 品質を改良する
- **equipment** 名 機器
- **replace** 他 取り換える
- **cite** 他 言及する、挙げる
- **motivated** 形 積極的な
- **loyal** 形 誠実な
- **conveniences** 名 便利な施設
- **fully-stocked** 形 完全な品ぞろえの
- **survey** 名 調査
- **protective** 形 保護する
- **clothing** 名 服

Questions 4-6 ★★★ 🇨🇦

4. 正解：(D) 先読みpoint **What** ▶ 広告されているのは何か。

攻略法 冒頭から「聞き手の会社は移動の時間を無駄にしていないかどうか」についての語りかけがあり、その後の2文目に「助けて差し上げましょう」と言っている。続く3文目には聞き手を助ける方法が具体的に述べられており、「プライベート車両とドライバーたちが主要なところにお連れします」とある。広告内容は「ビジネスのための送迎サービス」だと考えられ、正解は最も内容の近い (D) A business service である。

5. 正解：(D) 先読みpoint **What** ▶ どんな特徴が述べられているか。

攻略法 4文目は Reclining in the plush rear seats of our luxury vehicles, から始まり、高級車の装備に関する言及があり、続く your executives can either relax or work from their laptops, tablets, or cell phones. では利用者の利便性に触れている。これを言い換えた (D) Significant comfort が正解だとわかる。

6. 正解：(C) 先読みpoint **Who** ▶ 誰が推奨した？

攻略法 先読みにより、endorsement（推奨）の語は頭に入っているはず。6文目の This is why we were endorsed by~ と聞こえた時点でこの後に集中すればよいことがわかる。~TXN Business News, who rated us 5 out of 5 stars. とあり、TXN Business News はニュースを扱う企業で、他企業の格付けが事業の1つに含まれていることも明らかになる。(C) A news service が正解となる。

スクリプト　　　　　　　　　　　　　　　　　Q4 広告されていること

Questions 4 through 6 refer to the following advertisement.

Are your executives losing valuable time traveling around town between appointments or to transportation centers such as airports or train stations? Let L-X Corporation help. Our fleet of private cars and drivers can take your people anywhere they need to go within most major cities of the east and northeast regions of the country. Reclining in the plush rear seats of our luxury vehicles, your executives can either relax or work from their laptops, tablets, or cell phones. Our cars provide much more space than taxis, along with smoother and quieter rides and greater privacy. This is why we were endorsed by TXN Business News, who rated us 5 out of 5 stars. E-mail us at info@lxcorponline.net to find out why so many corporations are turning to us to get their senior staff where they need to go—on time, refreshed, and ready to succeed.

Q6 誰が広告で推奨しているか？　　　　　　　Q5 広告で述べられている特徴

スクリプトの訳

設問4〜6は次の広告に関するものです。

あなたの上役は、約束の合間や、空港や駅などへ移動する際に貴重な時間を無駄にしていませんか。それならL-X社がお手伝いいたしましょう。ドライバー付きのプライベート車両で、国内の東部、北東部地域のほとんどの主要都市で、御社の方々にとって必要な所ならどこへでもお連れできます。高級車の豪華な後部座席にもたれることで、上役はリラックスすることも、ラップトップやタブレットPC、そして携帯電話での仕事も可能です。タクシーよりも広い空間に加え、よりスムーズでより静かな乗り心地と高いプライバシーも提供しています。それゆえ、TXNビジネスニュースは我々を5つ星中の星5つと格付けし、推奨してくださいました。info@lxcorponline.net宛てにEメールしてください。なぜ多くの企業が幹部を出張先に送り出すために弊社を利用しているかがわかるでしょう。重役たちは正確な時間に到着し、リフレッシュでき、成功のための準備を整えることができるのです。

設問・選択肢の訳

4. 主に何が広告されていますか。
    (A) 車の製品ライン
    (B) パッケージ休暇
    (C) 修理センター
    (D) ビジネスサービス

5. 広告では、どのような特徴が述べられていますか。
    (A) 競争力のある価格
    (B) 高速
    (C) 大きな利益
    (D) 素晴らしい快適さ

6. 広告によると、誰が推奨しましたか。
    (A) タクシー会社
    (B) ビジネス協会
    (C) ニュースサービス
    (D) 自動車メーカー

- **executive** 名 重役
- **transportation** 名 交通（機関）
- **fleet** 名 全車両
- **businessperson** 名 ビジネスパーソン、経営者
- **region** 名 地域
- **recline** 自 もたれかかる
- **plush** 形 豪奢な
- **rear** 形 後部の
- **luxury** 形 高級な
- **vehicle** 名 車両
- **laptop** 名 ノートパソコン
- **tablet** 名 タブレットPC
- **cell phone** 携帯電話
- **endorse** 他 支持する、推奨する
- **feature** 名 特徴
- **competitive** 形 競争力のある
- **profit** 名 利益
- **significant** 形 かなりの、すごい
- **association** 名 協会
- **manufacturer** 名 メーカー、製造業者

第4章 Part 4：説明文問題

コラム③
スランプから抜け出すには

Q: 記憶力がないので単語が覚えられません。

A: 英単語が覚えられないのは、記憶力がないからではありません。「自分には記憶力がない」と信じているから単語を覚える作業を避けているのです。一度覚えた単語を忘れるのは当たり前です。覚えたら後日、その単語をチェックし、忘れていたら再度暗記してください。「何度も覚える→忘れる→また覚える→定着させる」を繰り返しましょう。単語は覚える努力をすれば覚えられます。覚える努力をしなければ覚えられません。

Q: 耳が悪いので英語が聞けません。

A: 自分が「耳が悪い」と決めつければ、英語のリスニングの練習はしなくて済むし、今までできなかったことが正当化されます。しかし、日本語を聞くことができる人はおそらく耳が悪いわけではありません。

Q: リズム感や絶対音感がないので、リスニングが苦手です。

A: リズム感は確かに、リスニングやスピーキングのときにはある程度は必要になるかも知れません。しかし「絶対音感」がなくても当然のことながら英語を聞くことはできます。「完璧に耳がいいのでなければ英語はやっても無駄」という人は何かしらできない理由を探したいのでしょう。「苦手」と決めつけずに、練習してください。

著者からの応援メッセージ

日本語が母国語の日本人にとって、「英語が聞けるようになる」にはそれなりの時間を要します。まずは本書を活用して効率よくTOEICの勉強をして、高得点を取ってください。納得のいく点数を取得した暁（あかつき）には、TOEICにとどまらず、その向こうにある目標に向かって本当の力を身に付けてください。応援しています。

第 5 章

模擬試験

Day 13

学習の仕上げとして模擬試験に挑戦しましょう。
本試験と同様の100問で構成されています。
間違った問題、聞き取れなかった個所はしっかり復習しておきたい。
CDの準備ができたら、さっそく試験を始めましょう。

CD2 1 ～ CD2 55

問　題　▶ p. 182
正解と解説 ▶ p. 210

Part 1

1.

Ⓐ Ⓑ Ⓒ Ⓓ

2.

Ⓐ Ⓑ Ⓒ Ⓓ

3.

Ⓐ Ⓑ Ⓒ Ⓓ

4.

Ⓐ Ⓑ Ⓒ Ⓓ

GO ON TO THE NEXT PAGE

5.

Ⓐ Ⓑ Ⓒ Ⓓ

6.

Ⓐ Ⓑ Ⓒ Ⓓ

Part 2

CD2 8 ~ CD2 22

7. Mark your answer on your answer sheet. Ⓐ Ⓑ Ⓒ

8. Mark your answer on your answer sheet. Ⓐ Ⓑ Ⓒ

9. Mark your answer on your answer sheet. Ⓐ Ⓑ Ⓒ

10. Mark your answer on your answer sheet. Ⓐ Ⓑ Ⓒ

11. Mark your answer on your answer sheet. Ⓐ Ⓑ Ⓒ

12. Mark your answer on your answer sheet. Ⓐ Ⓑ Ⓒ

13. Mark your answer on your answer sheet. Ⓐ Ⓑ Ⓒ

14. Mark your answer on your answer sheet. Ⓐ Ⓑ Ⓒ

15. Mark your answer on your answer sheet. Ⓐ Ⓑ Ⓒ

16. Mark your answer on your answer sheet. Ⓐ Ⓑ Ⓒ

17. Mark your answer on your answer sheet. Ⓐ Ⓑ Ⓒ

18. Mark your answer on your answer sheet. Ⓐ Ⓑ Ⓒ

19. Mark your answer on your answer sheet. Ⓐ Ⓑ Ⓒ

20. Mark your answer on your answer sheet. Ⓐ Ⓑ Ⓒ

21. Mark your answer on your answer sheet. Ⓐ Ⓑ Ⓒ

GO ON TO THE NEXT PAGE ➡

CD2 23 ~ CD2 32

22. Mark your answer on your answer sheet. Ⓐ Ⓑ Ⓒ

23. Mark your answer on your answer sheet. Ⓐ Ⓑ Ⓒ

24. Mark your answer on your answer sheet. Ⓐ Ⓑ Ⓒ

25. Mark your answer on your answer sheet. Ⓐ Ⓑ Ⓒ

26. Mark your answer on your answer sheet. Ⓐ Ⓑ Ⓒ

27. Mark your answer on your answer sheet. Ⓐ Ⓑ Ⓒ

28. Mark your answer on your answer sheet. Ⓐ Ⓑ Ⓒ

29. Mark your answer on your answer sheet. Ⓐ Ⓑ Ⓒ

30. Mark your answer on your answer sheet. Ⓐ Ⓑ Ⓒ

31. Mark your answer on your answer sheet. Ⓐ Ⓑ Ⓒ

Part 3

32. What did the woman notice about the man?
 (A) His score was low.
 (B) He didn't order an appetizer.
 (C) He lost his memory.
 (D) He ate a little.

33. What does the woman suggest the man do?
 (A) To press a buzzer
 (B) To have a checkup
 (C) To take medicine
 (D) To shave off his beard

34. What will happen at 1:00 P.M.?
 (A) The man will telephone someone.
 (B) The doctor will examine a microscope.
 (C) They will have lunch.
 (D) A client will come.

GO ON TO THE NEXT PAGE

35. What does the man ask the woman to do?
   (A) Go to meet Mr. Hoffman
   (B) Reserve a plane ticket
   (C) Call Mr. Hoffman
   (D) Play golf with Mr. Hoffman

   Ⓐ Ⓑ Ⓒ Ⓓ

36. What will the woman do before heading to the airport?
   (A) Listen to traffic information
   (B) Pick up her luggage
   (C) Find a golf shop
   (D) Join a meeting

   Ⓐ Ⓑ Ⓒ Ⓓ

37. Approximately how long will it take for the woman to go to the airport and return?
   (A) 3 hours
   (B) 6 hours
   (C) 12 hours
   (D) 1 day

   Ⓐ Ⓑ Ⓒ Ⓓ

38. What is the problem?
   (A) A manager is on vacation.
   (B) A company went bankrupt.
   (C) They had an old computer installed.
   (D) Their hotel room is too spacious.

39. When did the man start working at the company?
   (A) 1 year ago
   (B) 3 years ago
   (C) 4 years ago
   (D) 7 years ago

40. What does the woman say she will do next?
   (A) Look into a customer service
   (B) Create a web site
   (C) Check her availability
   (D) Refund her money

GO ON TO THE NEXT PAGE

41. Why will the main office be closed?
   (A) It is far from the station.
   (B) Staff doesn't have enough money.
   (C) The building will be renovated.
   (D) Business is slow.

42. Where will the sales staff work from March?
   (A) In the main office
   (B) In Detroit
   (C) In New York
   (D) At home

43. According to the man, which equipment will be covered by company expenses?
   (A) Multiplication tables
   (B) Printers
   (C) A white board
   (D) A coffee maker

44. Where is this conversation probably taking place?
   (A) At a gas station
   (B) At a construction site
   (C) In a train
   (D) In a car

45. What does the woman suggest the man do?
   (A) Drop her off at the traffic light
   (B) Refuel an automobile
   (C) Make a schedule change
   (D) Drive more than 2 hours

46. What is inferred about the gasoline prices?
   (A) It is constantly fluctuating.
   (B) It has dropped to $4.
   (C) It has soared to $4.
   (D) It has shown no change recently.

GO ON TO THE NEXT PAGE

47. Where most likely are the speakers?
   (A) In a boutique
   (B) In a hardware shop
   (C) In a museum
   (D) In an art gallery

48. Which one is one of the original colors in the line?
   (A) Sky blue
   (B) Silver
   (C) Red
   (D) Black

49. What is probably true about the woman?
   (A) She has never been this shop before.
   (B) She has sharp eyes.
   (C) She is selecting a birthday present.
   (D) She will pay by cash.

50. Where most likely is the conversation taking place?
   (A) In a park
   (B) At a convention
   (C) In a breakroom
   (D) At a restaurant kitchen

   Ⓐ Ⓑ Ⓒ Ⓓ

51. What does the man say about the company?
   (A) It plans to expand a team.
   (B) It needs a project finished soon.
   (C) It insists employees work late.
   (D) It wants to find many more customers.

   Ⓐ Ⓑ Ⓒ Ⓓ

52. What do the women suggest?
   (A) Ending a contract
   (B) Consulting a supervisor
   (C) Reviewing an analysis
   (D) Setting up a meeting

   Ⓐ Ⓑ Ⓒ Ⓓ

GO ON TO THE NEXT PAGE

CD2 40

53. What was the man waiting for?
(A) The arrival of headphones
(B) A phone call from Montreal branch
(C) A schedule of today's seminar
(D) Invitation from a guest speaker

Ⓐ Ⓑ Ⓒ Ⓓ

54. What is inferred about the guest speaker?
(A) His flight has been delayed.
(B) His ship is bound for France.
(C) He doesn't speak English.
(D) He can't hear well.

Ⓐ Ⓑ Ⓒ Ⓓ

55. What does the woman suggest they do?
(A) Trace the package
(B) Reschedule the seminar
(C) Use headset and microphone simultaneously
(D) Ask translator to interpret in another way

Ⓐ Ⓑ Ⓒ Ⓓ

Noone Industries

Period	Major Plans
Quarter 1	Engineer recruitment
Quarter 2	Quality control review
Quarter 3	Machinery upgrades
Quarter 4	Product line launch

56. What has the man already sent the woman?
   (A) The minutes of a meeting
   (B) A plan for operations
   (C) Customer suggestions
   (D) The design of a facility

57. What does the woman mean when she says, "I wouldn't say that"?
   (A) A statement is impolite.
   (B) An idea is incorrect.
   (C) An organization is mistaken.
   (D) A contract is unacceptable.

58. Look at the graphic. What is the company busy with?
   (A) Engineer recruitment
   (B) Quality control
   (C) Machinery upgrades
   (D) Product line launch

GO ON TO THE NEXT PAGE

59. Why did the woman call Mr. Randall?
   (A) To open a file
   (B) To apply for a job offer
   (C) To subscribe to a monthly journal
   (D) To recommend an individual

   Ⓐ Ⓑ Ⓒ Ⓓ

60. What did the man ask the woman to do?
   (A) Take the creator's advice
   (B) Send his personal belongings
   (C) Submit a curriculum vitae
   (D) Accept the new theory

   Ⓐ Ⓑ Ⓒ Ⓓ

61. What does the woman want to know?
   (A) The number of positions available
   (B) A schedule for the interview
   (C) The way to create the program
   (D) A deadline for a letter of reference

   Ⓐ Ⓑ Ⓒ Ⓓ

62. Who most likely is the man?
- (A) A lawyer
- (B) An employee
- (C) A person in charge
- (D) A mailman

63. What does the man insist about the seminar room policy?
- (A) He canceled the room 3 years ago.
- (B) It didn't meet the participant's expectations.
- (C) He abided by the rules.
- (D) The room was too small.

64. What will the woman do before replying back to him?
- (A) Find a pair of suspenders
- (B) Investigate the problem
- (C) Memorize his number
- (D) Call one of the participants

65. What did the woman want to talk with the man about?
    (A) Official announcement
    (B) Board of trade
    (C) Government bond
    (D) Final report

    Ⓐ Ⓑ Ⓒ Ⓓ

66. What does the man want to ask the president about?
    (A) Fund raising for the new project
    (B) Positive feedback
    (C) Reliability of the news
    (D) Percentage of the interest rate

    Ⓐ Ⓑ Ⓒ Ⓓ

67. Where does the woman keep the proposal?
    (A) On the printer
    (B) In the top drawer
    (C) On the desk
    (D) On computer

    Ⓐ Ⓑ Ⓒ Ⓓ

Breakfast Cereal

Ingredients

Amount per serving

Sugar :	10 grams
Cholesterol :	5 grams
Vitamin C :	40 milligrams
Vitamin B :	15 milligrams

68. Look at the graphic. What ingredient does the man says is most important?
   (A) Vitamin C
   (B) Vitamin B
   (C) Sugar
   (D) Cholesterol

Ⓐ Ⓑ Ⓒ Ⓓ

69. What does the man mean when he says, "That should be clear enough to anyone"?
   (A) A plan has proven effective.
   (B) A target has been reached.
   (C) A fact is especially obvious.
   (D) A concept is severely doubted.

Ⓐ Ⓑ Ⓒ Ⓓ

70. What does the woman offer to do for the man?
   (A) Place an item among his purchases.
   (B) Move his cart down the main aisle.
   (C) Show him several brands.
   (D) Contact the store cashier.

Ⓐ Ⓑ Ⓒ Ⓓ

GO ON TO THE NEXT PAGE

Part 4

71. What is mentioned about the hospitality industry?
(A) Its growth patterns
(B) Its pay levels
(C) Its market regulations
(D) Its successful CEOs

72. According to the speaker, what is critical for jobseekers?
(A) Management skills
(B) Field experience
(C) Course grades
(D) IT knowledge

73. What will the listeners most likely do next?
(A) Speak with instructors
(B) Order textbooks
(C) Watch a film
(D) Register for classes

Assignments for the month	
Department	Manager
Stockroom	Franklin Jones
Sales staff	Igor Petrov
Checkout	Chaya Epstein
Information Desk	Su-yeon Kim

74. According to the speaker, what happened last July?
   (A) The number of shoppers decreased.
   (B) Products were unavailable online.
   (C) A sale was somewhat delayed.
   (D) Many customers complained.

75. Look at the graphic. Who will the temporary workers be assigned to?
   (A) Franklin Jones
   (B) Igor Petrov
   (C) Chaya Epstein
   (D) Su-yeon Kim

76. What does the woman imply when she says, "We just can't afford any more mistakes"?
   (A) Groups have to be smaller.
   (B) Performance must be high.
   (C) Regulations are very strict.
   (D) Fees may be demanded.

GO ON TO THE NEXT PAGE

77. According to the broadcast, what happened at 5:00 A.M.?
    (A) The snowstorm ended.
    (B) The weather changed.
    (C) Some street closures occurred.
    (D) Some vehicle accidents happened.

78. What is the Road Safety Department asking people to do?
    (A) Avoid the highways
    (B) Wait for reports
    (C) Expect some delays
    (D) Stay in their homes

79. Where is transportation operating normally?
    (A) In the financial district
    (B) On subway lines
    (C) At the airport
    (D) On bus routes

80. What is the main purpose of the message?
    (A) To revise a plan
    (B) To get information
    (C) To respond to a request
    (D) To update an account

81. Where will the conference be held?
    (A) In Bucharest
    (B) In Moscow
    (C) In Warsaw
    (D) In Prague

82. Who most likely is Jason?
    (A) An event planner
    (B) A hotel clerk
    (C) A travel agent
    (D) A personal assistant

GO ON TO THE NEXT PAGE

83. What is the problem?
 (A) A plane is overbooked.
 (B) A flight arrival is overdue.
 (C) A technical problem is present.
 (D) A boarding gate has changed.

84. What are passengers for Flight 302 asked to do?
 (A) Check their luggage
 (B) Stay in the departure area
 (C) Confirm their connecting flights
 (D) Turn off electronic devices

85. According to the announcement, where are people encouraged to get updates?
 (A) At e-ticket offices
 (B) At staff desks
 (C) On digital boards
 (D) On an airport Web site

86. According to the speech, why is Kondor Incorporated a market leader?
    (A) It has been in operation for many decades.
    (B) It has kept business costs down.
    (C) It has used technological developments.
    (D) It has opened a large number of offices.

87. What has the company decided to do?
    (A) Expand its properties
    (B) Change its structure
    (C) Purchase a supplier
    (D) Lower item prices

88. What most likely will happen next?
    (A) Customers will be interviewed.
    (B) Products will be demonstrated.
    (C) Seminar meals will be delivered.
    (D) Questions will be answered.

GO ON TO THE NEXT PAGE

89. Who most likely is the speaker?
   (A) A public official
   (B) A travel agent
   (C) A company leader
   (D) A fund manager

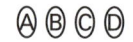

90. According to the speech, what is a concern of many residents?
   (A) Improving the economy
   (B) Attracting corporations
   (C) Increasing tourism
   (D) Protecting nature

91. What most likely will happen next?
   (A) Another person will talk.
   (B) Information will be shown.
   (C) Votes will be counted.
   (D) A schedule will be revised.

92. What is the announcement mainly about?
   (A) An office relocation
   (B) A product upgrade
   (C) A facility renovation
   (D) A security guideline

93. When is the project scheduled to be completed?
   (A) In 1 week
   (B) In 3 weeks
   (C) In 4 weeks
   (D) In 5 weeks

94. Who does the company thank?
   (A) Work crews
   (B) Building managers
   (C) Business staff
   (D) Government personnel

GO ON TO THE NEXT PAGE

Leaxi Plastics

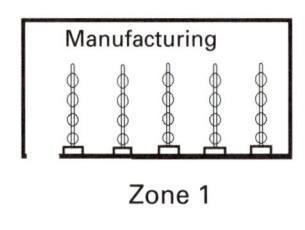

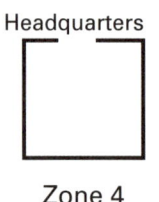

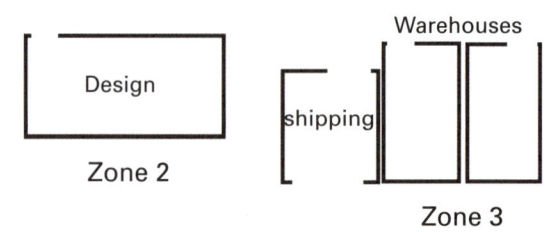

```
        Manufacturing              Headquarters
        [factory diagram]          [building]
           Zone 1                    Zone 4

           Design              Warehouses
        [building]          shipping [buildings]
           Zone 2                    Zone 3
```

95. According to the speaker, what is an advantage of the company?
(A) Operational efficiency
(B) Low-cost supplies
(C) Award-winning managers
(D) Ideally-located premises

Ⓐ Ⓑ Ⓒ Ⓓ

96. Look at the graphic. What will be excluded from the tour?
(A) Zone 1
(B) Zone 2
(C) Zone 3
(D) Zone 4

Ⓐ Ⓑ Ⓒ Ⓓ

97. What will be discussed last?
(A) Shipping
(B) Client brands
(C) Finished software
(D) Terms of a deal

Ⓐ Ⓑ Ⓒ Ⓓ

98. Why does the speaker thank the listeners?
 (A) They lowered operating costs.
 (B) They surpassed a benchmark.
 (C) They designed new standards.
 (D) They invested profitably.

99. What does the company plan to do after October 1?
 (A) Hire some additional department staff
 (B) Focus on large companies
 (C) Switch to more complex business deals
 (D) Change some employee responsibilities

100. What does the speaker indicate may be a result of the new policy?
 (A) Higher workloads
 (B) More diverse products
 (C) Fewer employees
 (D) Greater output

正解と解説

正解を確認したら、間違ったところをしっかりと復習しておきましょう。
聞き取れない部分は何度も聞いてみましょう。

・問題の難易度は★〜★★★で表します。
・4カ国の音声は、🇺🇸・🇬🇧・🇦🇺・🇨🇦で表します。

Part 1 ▶ p. 211
Part 2 ▶ p. 215
Part 3 ▶ p. 232
Part 4 ▶ p. 258

Part 1

1. 正解：(C) ★

スクリプト

(A) A woman is singing in a music room.
(B) A woman is using a microscope.
(C) A woman is standing under the roof.
(D) A woman is fixing a guitar.

スクリプトの訳

(A) 女性が音楽室で歌っている。
(B) 女性は顕微鏡を使っている。
(C) 女性は屋根の下に立っている。
(D) 女性はギターを修理している。

解説 写真を見てすぐに思いつくのは「女性がギターを弾いて歌っている」という文だが、そのような選択肢はない。選択肢はすべて A woman で始まっているので、その後の動作と修飾語句を聞き取ろう。(A)は動作が singing（歌っている）で写真と一致しているが、ここは音楽室ではないので、不正解。(B)は microphone（マイク）を microscope（顕微鏡）と早とちりしないように注意。(C)が動作、場所どちらも正しく、これが正解。(D)（ギター）と聞いてすぐに反応せずに、動作が写真と違うことを確認しよう。

落とし穴 写真の中で目立つ「ギター」が聞こえても急いで正解にしないこと！ 動作が違う場合は間違い。

☐ microscope 名 顕微鏡　　　　☐ fix 他 修理する

2. 正解：(C) ★★

スクリプト

(A) People are gathered in an art gallery.
(B) A man is adjusting a projector.
(C) A man is chairing a business meeting.
(D) They are drinking from a faucet.

スクリプトの訳

(A) 人々が画廊に集まっている。
(B) 男性がプロジェクターを調節している。
(C) １人の男性がビジネス会議を進行している。
(D) 彼らは蛇口から水を飲んでいる。

解説 写真はビジネス会議の場面。向かって左の壁に大きく絵が飾られているが、ここはart gallery（美術館、画廊）ではないので(A)は間違い。(B)写真でprojector（映写機）が目立つが、男性が調節しているわけではない。(C)正面の男性が会議を進行しているので正解。(D)テーブルの上に飲み物が見えるからといってdrink(ing)と聞いてすぐに飛びついてはいけない。faucetは「蛇口」の意。

落とし穴 この問題でも写真の中で目立つもの、「絵」「映写機」「飲み物」が含まれている選択肢の全体を理解し、不正解と判断しよう。

☐ **gather** 他 集める
☐ **projector** 名 プロジェクター、映写機
☐ **faucet** 名 蛇口
☐ **adjust** 他 調節する
☐ **chair** 他 会議を進行する

3. 正解：(B) ★

スクリプト
(A) Passengers are getting off the train.
(B) A man is walking on the platform.
(C) The train is moving out from the station.
(D) The conductor is examining the doors.

スクリプトの訳
(A) 乗客は電車を降りているところだ。
(B) １人の男性がプラットホーム上を歩いている。
(C) 電車が駅から発車している。
(D) 車掌はドアを調べている。

解説 写真は駅に停まっている電車とホームの場面。複数の乗客が電車を降りている様子は見られないので、(A)は不正解。(B)は男性が１人、ホームの上を歩いている様子が写真にあるので正解。電車のドアは開いているので、駅から現在発車しているところではなく、(C)は間違い。(D)は写真の中にconductor（車掌）だと思われる人物が見当たらないので不正解。

☐ **passenger** 名 乗客
☐ **conductor** 名 車掌
☐ **platform** 名 プラットホーム
☐ **examine** 他 調査する

4. 正解：(B) ★

スクリプト
(A) A woman is taking off her sweater.
(B) A woman is concentrating on some material.
(C) A woman is taking an order.

(D) A woman is sipping from a tea cup.

> **スクリプトの訳**
> (A) 女性はセーターを脱いでいる。
> (B) 女性は資料に集中している。
> (C) 女性が注文をとっている。
> (D) 女性はティーカップで少しずつ飲んでいる。

解説 主語の A woman は一致している。手前の椅子にセーターがかけてあるが、女性が現在、脱いでいる状況ではないので (A) は不正解。(B) 女性は椅子に座って何かに集中している様子なので正解。(C) は「女性は注文をとっている」の意で、写真の女性はウェイトレスではないので間違い。(D) sip は「すする」の意。sit（座る）と誤解しないように注意しよう。

☐ **sweater** 名 セーター　　　　　☐ **concentrate on** （～に）集中する
☐ **sip** 他 少しずつ飲む、すする

5. 正解：(D) ★

> **スクリプト**
> (A) A man is waving to someone.
> (B) A man is standing behind his golf cart.
> (C) A man is fishing with a pole.
> (D) A man is about to hit a ball.

> **スクリプトの訳**
> (A) 男性は誰かに手を振っている。
> (B) 男性はゴルフカートの後ろに立っている。
> (C) 男性は釣りざおで釣りをしている。
> (D) 男性はボールを打つところだ。

解説 (A)「wave to 人」で、「人に手を振って合図する」の意であり、間違い。(B) 男性はゴルフカートの手前に立っている。簡単にわかる位置関係だが、あわてて誤答しないようにしよう。(C) pole は「棒、さお」の意だが、fishing pole は「釣りざお」の意。男性の持っているものは釣りざおではないので不正解。男性は今からボールを打つことが写真からほぼ断定できるので、(D) が正解。

> **落とし穴** 位置関係を表す前置詞句（ここでは behind his golf cart）に注意しよう。

☐ **wave** 他 手を振る　　　　　☐ **golf cart** 名 ゴルフカート
☐ **pole** 名 棒、さお

6. 正解：(B) ★

スクリプト
(A) The books are piled high on the floor.
(B) The books are arranged on the shelves.
(C) A woman is turning pages in a book.
(D) A woman is talking with a librarian.

スクリプトの訳
(A) 本は床に高く積まれている。
(B) 本は棚に並べられている。
(C) 女性は本のページをめくっている。
(D) 女性は図書館員と話をしている。

解説 手前にはたくさんの本が棚に並べられており、奥に小さく女性が見える。(A) 本は床に積まれているのではないので間違い。(B) が正解。(C) 女性は遠くに立っているが、「ページをめくる」ような、細かい作業をしている様子はない。(D) は librarian（司書、図書館員）が写真に写っていないので不正解。

- **pile** 他 積み重ねる
- **shelf** 名 棚
- **librarian** 名 図書館員
- **arrange** 他 整える
- **turn (pages)** 他 （ページを）めくる

Part 2

7. 正解：(C) ★

スクリプト
When will the new product be ready for sale?
(A) No, it's quite old.
(B) She was comparing the production costs.
(C) In about three days.

スクリプトの訳 新しい商品はいつ販売する準備ができるのですか。
(A) いいえ、それはかなり古いです。
(B) 彼女は生産コストを比較していました。
(C) 3日以内です。

解説 疑問詞 When で始まる疑問文。「いつ販売の準備ができますか」に対して (A) は「いいえ」と答えているので不適当。(B) は質問文の product（商品）と production（生産）が意味、発音ともに似ているだけのトラップ。She（彼女）が誰なのかも不明なので間違い。(C) は「3日以内」と期日を答えており、正解。

落とし穴 質問文のnewに対し、(A)のoldのような反対語にひっかかって誤答しないように注意しよう。

□ **product** 名 商品
□ **quite** 副 かなり、たいへん
□ **production** 名 生産
□ **ready for** 用意ができて
□ **compare** 他 比較する

8. 正解：(A) ★★

スクリプト
Can you do some paperwork for me?
(A) I'm tied up right now.
(B) Let me buy some paperweights.
(C) Sorry, I just found new work boots last week.

スクリプトの訳 書類仕事を私のために少ししてもらえますか。
(A) 今は忙しいです。
(B) 私はペーパーウェイトをいくつか買います。
(C) すみません、先週新しい作業用の靴を見つけたばかりです。

解説 Can you〜? で始まる依頼文。「仕事をしてくれますか」の依頼に対し、正解の (A) は「忙しいです」と今の状況を伝えることで依頼を断っている。(B) は質問文の paper「書類」と同じ発音を含む paperweights を用いることで、誤答を誘っている。(C) は sorry（すみません）と、依頼を断っているようにも聞こえるが、その後に続く work boots と質問文の work が一致するのみで、会話が成立していない。

- □ tied up　忙しい
- □ paperweight　名 ペーパーウェイト
- □ work boots　作業靴

9. 正解：(B) ★★

スクリプト
Where have you put tomorrow's agenda?
(A) It was released by the Defense Agency.
(B) It won't be ready until noon.
(C) He is in Mexico on vacation.

スクリプトの訳
明日の議事日程をどこに置きましたか。
(A) それは防衛庁から発表されました。
(B) それは午後まで準備できません。
(C) 彼はメキシコで休暇を過ごしています。

解説 疑問詞 Where で始まる疑問文。質問者は「どこに明日の議事日程を置きましたか」と聞いていて「明日の議事日程」を必要としている。(A) は情報源を答えているので会話が成立していない。(B) は状況を想像しないで聞くと、ただ単に「時」を答えているだけの選択肢だが、「午後には準備できます（だから入手できます）」のニュアンスで質問者に「議事日程」を入手できる方法を示しており、正解。(C) には場所が含まれているが、He（彼）は誰だかわからない。

落とし穴　Where（場所）に対して「時」を答えても会話が流れていれば、正解になる。

- □ agenda　名 議事日程
- □ release　他 発表する
- □ the Defense Agency　防衛庁

10. 正解：(B) ★

スクリプト
Is everyone attending the award ceremony tomorrow?
(A) In the main hall.
(B) I believe so.

(C) That's distressing.

スクリプトの訳 明日、皆さん授賞式に出席するのですか。
(A) メインホールで行われます。
(B) そう思います。
(C) それは大変ですね。

解説 Is〜?で始まる、疑問詞を使わない疑問文。「全員、授賞式に出席するか」に対して、(A)は場所を答えていて、不正解。(B)は「そうだと思います」と答えて、正解となるパターン。(C)はThatが何を指すのかがわからず、不正解。

落とし穴 最近の傾向では、Is this〜?などの疑問文に単純にYes, it is.などで答えている選択肢が正解である可能性は少ない。

☐ **attend** 他 出席する ☐ **award ceremony** 授賞式
☐ **distress** 他 苦しめる、悩ます

11. 正解：(A) ★★ 🇨🇦▶🇺🇸

スクリプト How are we getting to the international convention?
(A) There is a pickup bus from the airport.
(B) By writing a letter.
(C) I've been there, too.

スクリプトの訳 どのようにして国際会議に到着できるのですか。
(A) 空港からの送迎バスがあります。
(B) 手紙を書くことによってです。
(C) 私もそこに行ったことがあります。

解説 疑問詞How〜?で始まる疑問文。国際会議に到着する方法について聞いている。(A)が「送迎バス」という交通手段を紹介しており、正解。(B)は質問の意味をきちんと想像できていないと「手紙を書くことによってです」とありhow〜?に対して「方法」を答えているように聞こえて誤答しがちになる。(C)も質問の「国際会議」から、「海外」を想像した場合にひっかかりやすいトラップ。

☐ **international** 形 国際の ☐ **convention** 名 会議
☐ **pickup bus** 送迎バス

12. 正解：(B) ★

スクリプト　Did anything catch your eye at the motor show?
(A) No, he didn't show up at the driving range.
(B) No, but there was a stylish one that Tony would love.
(C) That's why I'm wearing contact lenses.

スクリプトの訳　モーターショーで目を引くものはあった？
(A) いいえ、彼はゴルフ練習場に来ませんでした。
(B) いいえ、でもトニーが気に入るようなかっこいい車がありました。
(C) だから私はコンタクトレンズを装着しているのです。

解説　Did～?で始まる、疑問詞を使わない疑問文。catch～eyeで「目を引く」の意。質問の意味がわからないとmotor show（モーターショー）の語から(A)のshow、drivingが何となく一致しているように聞こえ、誤答してしまう。(B)は「いいえ」と答えてから、「トニーが気に入るような車ならあった」と答え、会話が成立しているため、正解。(C)は質問文のeye（目）を単語レベルで聞き取った場合に関連語であるcontact lenses（コンタクトレンズ）で惑わすことをねらったトラップ。

落とし穴　motorとdriving、また、eyeとcontact lensesなどの関連語にひっかからないようにしよう！

□ **catch one's eye ～**　～の目を引く　　□ **driving range**　ゴルフ練習場
□ **stylish**　形 かっこいい

13. 正解：(A) ★★

スクリプト　I'm going out for a little while.
(A) You should take your umbrella just in case.
(B) I live in the opposite direction.
(C) I'm afraid I don't understand, either.

スクリプトの訳　少し出かけてきます。
(A) 念のため、傘を持って行くべきです。
(B) 逆方面に住んでいます。
(C) 残念ながら、私もよくわかりません。

解説 平叙文に答える問題。「少し出かけてきます」に対して、傘を持っていくように促している(A)が正解。(B)は何に対して逆方面なのかが明確でないので不正解。(C)質問文では否定語が使われていないので「私もよくわかりません」では会話が成立しない。

□ **umbrella**	名 傘	□ **opposite**	形 反対の
□ **direction**	名 方面	□ **afraid**	形 残念に思う

14. 正解：(B) ★

スクリプト
What's on the itinerary this afternoon?
(A) I visited an outpatients' reception.
(B) There is a brewery tour after lunch.
(C) It's quarter past 3.

スクリプトの訳
今日の午後の旅程には何がありますか。
(A) 外来受付を訪れました。
(B) 昼食後、ビール工場の見学があります。
(C) 3時15分です。

解説 疑問詞 **What〜?** で始まる疑問文。What を用いて午後に訪れる場所について質問している。(A)は場所について答えているが、時制が過去であり、間違い。(B)が旅程に関する質問の答えとして適しており、正解。(C)は時間に関する答えなので不正解。

□ **itinerary**	名 旅程	□ **outpatient**	名 外来患者
□ **reception**	名 受付	□ **brewery**	名 ビール醸造所

15. 正解：(B) ★

スクリプト
Where is the best place to get cold medicine?
(A) The thermometer registered minus 5 degrees.
(B) The closest pharmacy is right across the street.
(C) The café is open from 11:00 A.M. to 7:00 P.M.

スクリプトの訳
風邪薬を買うにはどこが一番良いですか。
(A) 温度計がマイナス5度を示しました。
(B) 最も近い薬局は、ちょうど通りの反対側です。
(C) そのカフェは朝11時から夜7時までの営業です。

第5章 模擬試験：正解と解説

解説 疑問詞 Where〜? で始まる疑問文。風邪薬が手に入る場所について聞いている。cold medicine は「風邪薬」の意だが、cold（寒い、冷たい）の意味で聞いてしまうと、thermometer（温度計）の語を含む(A)に誤答の可能性が高くなる。(B)が薬局の場所を答えているので正解。(C)はカフェの営業時間について答えているので、不正解。

- □ **cold medicine** 風邪薬
- □ **register** 他（温度を）示す
- □ **pharmacy** 名 薬局
- □ **thermometer** 名 温度計
- □ **degree** 名 度

16. 正解：(A) ★

スクリプト
Excuse me, may I have a doggy bag?
(A) Of course, would you like me to wrap it for you?
(B) Yes, I am allergic to cats.
(C) That suitcase goes well with your white shirt.

スクリプトの訳
すみませんが、残り物の持ち帰り用の箱をもらえますか。
(A) もちろん、お包みいたしましょうか。
(B) はい、私は猫アレルギーです。
(C) そのスーツケースはあなたの白いシャツと似合っていますよ。

解説 May I〜? で始まる依頼文。doggy bag は「持ち帰り用の容器（袋）」の意。質問文は飲食店で店員に対して依頼しているものと考えられる。(A)は「もちろん」と答えて、さらに自分が包むことを申し出ているので店員の発言として適切で、正解。(B)は質問のdoggy（犬の）に対してcats（猫）という表現が誤答を誘っている。(C)は質問のbag（かばん）とsuitcase（旅行カバン）を混同しないように注意しよう。

- □ **doggy bag** 持ち帰り用の箱
- □ **allergic** 形 アレルギーの
- □ **wrap** 他 包む
- □ **suitcase** 名 スーツケース

17. 正解：(A) ★★

スクリプト
Who is the woman looking for the cloakroom?
(A) That's one of our best customers.
(B) Because she wanted to leave her overcoat.
(C) It's on the first floor, next to the entrance.

スクリプトの訳
クロークを探しているあの女性は誰ですか。
(A) あの方はこちらの上客です。
(B) なぜなら、彼女はコートを預けたかったからです。
(C) それは1階の入り口の隣です。

解説 疑問詞 **Who〜?** で始まる疑問文。「クロークを探している女性は誰ですか」の質問に対して、その女性に関する情報を説明している **(A)** が正解となる。**(B)** は彼女がクロークを探している理由について答えているが、ここでは「理由」が聞かれているわけではない。**(C)** は「場所」について答えているので間違い。

- □ **cloakroom** 名 クローク
- □ **overcoat** 名 コート
- □ **customer** 名 顧客
- □ **entrance** 名 入り口

18. 正解：(B) ★

スクリプト
Do you prefer tomato or garlic pizza for lunch?
(A) It belongs to the nightshade family.
(B) Either is okay with me.
(C) Sure, she enjoyed her visit to Pisa.

スクリプトの訳
ランチにトマトのピザとガーリックのピザとでは、どちらがいいですか。
(A) それはナス科の植物です。
(B) 私はどちらも好きです。
(C) もちろん、彼女はピサへの旅行を楽しみました。

解説 **Do you〜?** で始まる、選択疑問文。2つのうちどちらかを選択する文の問題。「トマトのピザとガーリックのピザのどちらが好きですか」と聞いているのに対して **(A)** は「トマト」が植物の何科に属するかを答えており、不適切。「どちらも好きです」と答えている **(B)** が正解。**(C)** はPisaという地名でpizza（ピザ）との混同を誘っている。

☐ **prefer** 他 〜のほうを好む　　　☐ **belong to** 〜に属する
☐ **nightshade** 名 ナス科

19. 正解：(B) ★★

スクリプト
What's your opinion of the new salesperson?
(A) He forgot to mention it.
(B) I am not sure yet, but I'd like to get to know him better first.
(C) Let's consider other options.

スクリプトの訳 新しい営業部員についてあなたはどう思いますか。
(A) 彼はそれを言うのを忘れていました。
(B) まだわかりませんが、まずは彼のことをもっとよく知りたいと思います。
(C) 他の選択肢を考えましょう。

解説 疑問詞What〜?で始まる疑問文。「新しい営業部員についてどのように思うか」に対して(A)は「彼はそれを言うのを忘れていました」と答えており会話が成立せず、不正解。(B)は「まだわからない」と答えているが、「これから知ろうと思います」との流れがナチュラルなので正解。(C)はoptions（選択肢）と質問のopinion（意見）の音が似ているので、まずトラップではないかと疑うべき。

落とし穴 質問に対して「わかりません」と答えていても、会話が流れていれば正解になることは多い！

☐ **opinion** 名 意見　　　　　　　☐ **mention** 他 ちょっと言う
☐ **consider** 他 考える　　　　　　☐ **option** 他 選択肢

20. 正解：(A) ★★

スクリプト
Do you think I could speak to Mr. Park now?
(A) He is out all afternoon running errands.
(B) I'm speechless.
(C) The place hasn't been decided yet.

スクリプトの訳 今、パーク氏と話ができると思いますか。
(A) 彼は雑用のため、午後はずっと出かけています。
(B) あきれてものが言えません。
(C) その場所はまだ決定していません。

解説 Do you～?で始まる、疑問詞のつかない疑問文。Do you think～?と聞いているが、単に「思っているか」と聞いているのではなく、「パーク氏と話せるかどうか」について聞いていることに注意。(A)はパーク氏の午後の予定を伝えることによって「パーク氏とは話ができない」との内容を伝えており、正解。(B) は質問文の speak（話す）が speechless（言葉が出ない）に関連しているが、質問の応答として不適切。(C) park（公園）との混同を誘っているが、The place の場所が不明確。「話せるかどうか」の質問に対して場所が決まっていない旨を述べており、不正解。

□ **errands** 名 用事　　　　　　　□ **speechless** 形 ものが言えない
□ **decide** 他 決定する

---

21. 正解：(B) ★

スクリプト
Have you finished the budget report and submitted it to the director?
(A) Can you slice up this baguette into 10 pieces?
(B) I turned it in this morning.
(C) Please leave a message on my cell phone.

スクリプトの訳
もう予算報告を仕上げてディレクターに提出しましたか。
(A) バゲットを 10 枚にスライスしてください。
(B) 今朝提出しました。
(C) 私の携帯電話にメッセージを残してください。

解説 Have you～?で始まる、疑問詞を使わない疑問文。(A)は質問文の budget（予算）と音の似ている baguette（バゲット）を用いたトラップなので注意。「もう提出しましたか」に対して「今朝提出しました」と答えている (B) が正解。(C) は質問文と関連がないので不正解。

□ **budget** 名 予算　　　　　　　□ **submit** 他 提出する
□ **slice up** 薄く切る　　　　　　□ **baguette** 名 バゲット
□ **turn in** 提出する

---

22. 正解：(C) ★★

スクリプト
I'm thinking of quitting the sports gym.
(A) But my bankbook is filled up.
(B) I think Jim is in charge of that.

(C) I wouldn't advise that.

スクリプトの訳 スポーツジムを退会しようと思っています。
(A) でも通帳はいっぱいです。
(B) ジムがその担当だと思います。
(C) 私としては、それがいいとは思えませんね。

解説 平叙文に答える問題。「スポーツジムを退会しようと思っています」との語りかけに対して(A)は関連のないbankbook（通帳）の話をしており、不正解。(B)の選択肢で「ジム」と聞こえるのは「スポーツジム」ではなくて、人の名前である。(C)は直訳すると、「私だったらそうするようにアドバイスはしません」。スポーツジム退会についての意見を述べており、これが正解。

- □ **quit**　他 やめる
- □ **fill up**　いっぱいに満たす
- □ **advise**　他 勧める
- □ **gym**　名 ジム
- □ **in charge of**　～を担当して

23. 正解：(B) ★★ 🇺🇸▶🇬🇧

スクリプト
Why aren't photocopying services available?
(A) He is attending a workshop.
(B) The machines have regular maintenance this afternoon.
(C) They sold out the picture books yesterday.

スクリプトの訳
どうしてコピーサービスは利用できないのですか。
(A) 彼はワークショップに参加しています。
(B) その機器の定期点検が午後に予定されています。
(C) 絵本を昨日完売してしまいました。

解説 疑問詞 **Why〜?** で始まる疑問文。コピーサービスが使えない理由に関する質問。(A)は「彼」が誰だかわからず、不正解。(B)は「機器の定期点検が午後に予定されている」というのがコピーサービスが使えない理由だと考えられるのでこれを正解とする。(C) picture book は「絵本」の意。質問文の photo（写真［photocopying はコピー］）と picture（写真）とを混同しないように注意しよう。

落とし穴 Why〜? に対する答えが Because で始まっていなくても、理由を述べていればそれが正解となる。

- □ **photocopying** 名 コピー
- □ **attend** 他 出席する
- □ **available** 形 利用できる
- □ **maintenance** 名 点検

24. 正解：(A) ★★★

スクリプト
Do you mind if I lower the back of the recliner?
(A) I'd appreciate it if you didn't.
(B) There is a smoking area near the gate.
(C) No, it was Tim who got the highest score.

スクリプトの訳 シートを倒してもいいでしょうか。
(A) ご遠慮いただけるとありがたいです。
(B) ゲートの近くに喫煙所がありますよ。
(C) いいえ、一番高得点を取ったのはティムでした。

解説 Do you mind if I~?で始まる相手の許可を求める疑問文。設問を直訳すると「私がもしリクライニングを倒したら、あなたは気にしますか」となる。ここでは正解は「いいですよ（気にしませんよ）」と許可する答えではなく、(A)「もししないでくれるとうれしいです」と、拒否するパターンが正解。(B)は例えば「タバコを吸っていいですか」などの返答としてならば成立する。(C) Do you~?に対して「いいえ」と答えているが、会話が流れておらず、不正解。

☐ **lower** 他 低くする　　☐ **recliner** 名 シート
☐ **appreciate** 他 感謝する

25. 正解：(C) ★★

スクリプト
You have selected some floor mats to order, haven't you?
(A) Sure, fish and a cup of coffee, please.
(B) No, I live on the third floor of a 4-story apartment building.
(C) Sorry, it just slipped my mind.

スクリプトの訳 これから注文する玄関マットをいくつか選びましたよね？
(A) 魚とコーヒーをください。
(B) いいえ、私は4階建てのマンションの3階に住んでいます。
(C) すみません。うっかり忘れていました。

解説 付加疑問文の問題。「玄関マットを選びましたね？」に対して、付加疑問文の形にと

らわれず、選んだのか、選んでいないのかについて聞き分けよう。(A)はsureと答えているが、質問文のorder（注文する）にひきずられ、食べ物の注文をしているので不正解。(B)は質問のfloor（床）と同じfloor（階層）を用いて住んでいる階について答えている。これも間違い。「すみません。忘れていました」と言って、まだ選んでいないことを示している(C)が正解である。

> **落とし穴** 英語の疑問文に答えるときには一般疑問文、否定疑問文、付加疑問文のどれにおいてもYes／Noの答え方で惑わされないようにしよう。しかし、単純にYes／Noで始まらないものが正解であることも多い。

- **select** 他 選ぶ
- **story** 名 階
- **floor mat** 玄関マット
- **slip** 他（記憶から）去る、それる

26. 正解：(A) ★★

スクリプト
My mobile phone is almost the same as yours.
(A) They look similar, but mine is the previous model.
(B) I'd be glad if she got mobile.
(C) Did you hand in an application for a passport?

スクリプトの訳
私の携帯電話はあなたのものとほとんど同じです。
(A) 似ていますけど、私の携帯電話は前のモデルです。
(B) 彼女が積極的になったらうれしいです。
(C) もう旅券交付の申請書を提出しましたか。

解説 平叙文に答える問題。質問文では「私の携帯はあなたのとほぼ同じですね」と話し手が何気なく話している。これに対し、(A)は聞き手がさらに情報を与えることによって会話は流れているので、これが正解。(B)はsheの示す人物が特定できず、不正解。(C)はパスポートの申請に関する話で、会話が成立していないので、不正解。

- **mobile phone** 携帯電話
- **previous** 形 以前の
- **hand in** 提出する
- **similar** 形 類似した
- **mobile** 形 能動的な
- **application** 名 申請（書）

27. 正解：(B) ★

スクリプト
When is the in-house screening test expected to take place?
(A) During the 19th century.
(B) After all the applications are presented.
(C) Have you seen that monitor screen?

スクリプトの訳
社内選抜試験はいつ行われる予定ですか。
(A) 19世紀の間です。
(B) 申込書をすべて提出し終わってからです。
(C) あのモニター画面を見たことはありますか。

解説 疑問詞 When〜? で始まる疑問文。「選抜試験が行われるのはいつか」に関する質問。(A)は「時」について答えているが、これから行われることに対して「19世紀です」と答えるのは不適当。(B)は選抜試験の行われるタイミングを答えているので正解。(C)は質問文のscreeningと発音の似ているscreen（画面）を用いたトラップなのでひっかからないように注意。

- □ **in-house** 形 社内の
- □ **screening test** 選抜試験
- □ **expect** 他 期待する
- □ **take place** 行われる
- □ **application** 名 申込書

28. 正解：(A) ★★★

スクリプト
Teresa looked depressed that she didn't pass the entrance exam.
(A) Eventually, she will come to terms with it.
(B) Because a hurricane hit the southern part.
(C) Why? I followed the instructions of the examination.

スクリプトの訳
テレサは入試に合格できなかったので落ち込んでいるようでした。
(A) 彼女はその状況を結果的に受け入れますよ。
(B) なぜならばハリケーンが南部を襲ったからです。
(C) どうして？　私は試験の指示に従いました。

|解説| 平叙文に答える問題。何気ない語りかけに対して、会話が流れているものを選ぶ。「テレサが落ち込んでいるようでした」に対して (A) は「(でも) 彼女は結果的に受け入れるよ」と、テレサが落ち込んでいることに関してコメントしており、これが正解。質問文から depressed(落ち込んだ) のニュアンスだけを想像してしまうと、(B) と誤答する可能性もある。(C) のように質問文の最後の単語と選択肢の最後の単語が似ているとひっかかるので注意しよう。

- □ **depressed** 形 落ち込んだ
- □ **eventually** 副 結局は、やがて
- □ **come to term with 〜** 〜と折り合う、甘受する
- □ **hurricane** 名 ハリケーン
- □ **instructions** 名 指示

29. 正解：(C) ★★

スクリプト
Should I put on the peanut butter before toasting it or after?
(A) He was a great catcher in the past.
(B) After giving a toast to Jane.
(C) Don't you have any strawberry jam?

スクリプトの訳
トーストする前にピーナツバターを塗りますか、それとも後にしますか。
(A) 彼は昔、素晴らしいキャッチャーでした。
(B) ジェーンに乾杯した後にしましょう。
(C) イチゴジャムはないんですか。

|解説| Should I〜? で始まる選択疑問文。2つのうちどちらかを選択する。この問題ではどちらも選ばないものが正解。(A) は設問の before、after に対して in the past(昔に) と、時間を示す語句を用いて誤答を誘っている。設問の butter を batter(バッター) と混同し、catcher(キャッチャー) に誤答してしまわないように注意。(B) は質問文の toasting と toast の発音が似ていることによるトラップ。(C) は「(ピーナツバターをトーストする前か後に塗るのが問題なのではなくて)、イチゴジャムがいいです」と答えており、これが正解。

落とし穴 選択疑問文の応答は「どちらかを選ぶ」「どっちでもいい」「どっちも違う」「両方OK」はどれも正解！

- □ **toast** 他 トーストする、祝杯をあげる
- □ **in the past** 昔に

30. 正解：(B) ★★★

スクリプト

Wasn't the lecturer supposed to be here a couple of hours ago?
(A) Our goal is to invite the couples of 2 years ago.
(B) Yes, he is in the waiting room and is ready for the speech.
(C) They are coming to the wedding reception this weekend.

スクリプトの訳 講演者は2、3時間前にここに到着しているはずではなかったのですか。
(A) 私たちの目標は2年前のカップルたちを招くことです。
(B) はい、彼は待合室にいて、すでにスピーチの準備ができています。
(C) 彼らは今週末に結婚披露宴に来る予定です。

解説 Wasn't〜?で始まる否定疑問文。「講演者はここにいる予定ではなかったの?」と質問することで「どうしてここにいないのか」という不満を表している。(A) は質問文のcoupleが一致するが、会話が流れず、不正解。(B) は質問者の疑問点を解決すべく、「彼は待合室にいます（だから心配しなくても大丈夫です）」と現在の状況を説明しており、正解。質問文が過去のことを聞いているのに対し、(C) は今週末の話をしており、wedding reception（結婚披露宴）も質問文と関連がないので間違い。

落とし穴 否定疑問文には「私はこういう解釈だけど違うの?」という不満の気持ちが含まれていると考えよう!

☐ **lecturer** 名 講演者
☐ **be supposed to** 〜することになっている
☐ **invite** 他 招く、招待する   ☐ **wedding reception** 結婚披露宴

31. 正解：(C) ★★★ 🇺🇸▶🇬🇧

スクリプト

You haven't visited the new resort facility in San Francisco, have you?
(A) No, I can't find any successful results.
(B) The concert will be held in San Francisco this summer.
(C) I've only been to the one in Vancouver.

スクリプトの訳

サンフランシスコの新しい保養所には行ったことがないですよね？
(A) いいえ、成功している結果はまったく見つかりません。
(B) そのコンサートはサンフランシスコで今年の夏に行われます。
(C) バンクーバーの1カ所にだけ行ったことがあります。

解説 You haven't～?で始まる否定の付加疑問文。質問者は相手が「サンフランシスコの新しい保養所」に行ったことがないことを確認しようとしている。(A)はNoで答えているが、successful resultsは何の結果か分からず、不正解。(B)はconcert「コンサート」が質問文と関連がなく、間違い。(C)は「バンクーバーの保養所に行ったことがある」と答えているので正解（oneは保養所を指す）。

☐ **resort** 名 行楽地、保養所　　☐ **facility** 名 施設

Part 3

Questions 32-34 ★★ 🇬🇧▶🇦🇺

32. 正解：(D) 先読みpoint　What ▶ 女性が**気づいたことは何**？

解説　女性が最初の発言で「食欲がないようね」と男性のことを気にかけている。これを He ate a little.（彼がほとんど食べない）と言い換えた (D) が正解。Part 3 の第 1 問目の答えは最初の発言を聞くと分かることが多いが、low、lost、appetite の音に惑わされて (B) や (C) に誤答しないようにしよう。続く男性の発言には (A) と混同させるトラップも含まれているので注意。

33. 正解：(B) 先読みpoint　What ▶ 女性は**何を提案**している？

解説　女性の後半の発言を聞く。you had better と聞いてすぐに「あなたは〜するべきです」と解釈し、この後に提案の内容がくるので一瞬のうちに準備しよう。「半日オフをとり、医者に診てもらうべき」と言っているのでこれを言い換えた (B) が正解。

34. 正解：(A) 先読みpoint　What ▶ **午後 1 時**に**何が起こる**？

解説　男性の最後の発言に注意。1:00 P.M. と聞こえたときにはすでに男性が何をするかについての音声は終わっている。普段から聞こえてきた情報をイメージしておくトレーニングが必要。「1 時にクライアントに電話をしてから」とあるので (A) が正解である。

スクリプト

Questions 32 through 35 refer to the following conversation.

W: Tony, have you lost your appetite?　　Q32 女性が男性に対して気づいたこと

M: I am all out of sorts. I have a dull pain in my lower back. I had a pain-killer but it is still bothering me.　Q33 女性が男性に提案したこと

W: Are you all right? Maybe you had better take a half-day off and go and see a doctor. Just last week, I had some stomach problems so I had an endoscope but everything was just fine.

M: I guess you are right. I will go and see my doctor this afternoon after I call one of my clients at 1:00 P.M. ← Q34 午後 1 時に起こったこと

スクリプトの訳

問題 32-34 は次の会話に関するものです。

女性：トニー、ずいぶん食欲がないんじゃない？

男性：実は調子が悪いんだよ。腰のあたりに鈍痛がするんだ。ちょっと痛み止めを飲んだけど、まだ痛むよ。

女性：大丈夫？ 半日休みを取って、病院に行って診てもらった方がいいわ。私も先週胃が痛くて、胃カメラの検査をしたけれども問題なかったわ。

男性：ありがとう。君の言うとおり、1時にお客様に電話した後、午後に病院に行って診てもらうことにするよ。

設問・選択肢の訳

32. 女性は男性の何に気づきましたか。
(A) 彼の点数が低かったこと。
(B) 彼が前菜を頼まなかったこと。
(C) 彼が記憶を失ったこと。
(D) 彼がほとんど食べなかったこと。

33. 女性は男性に何をするように提案していますか。
(A) ブザーを押すこと
(B) 検査を受けること
(C) 薬を飲むこと
(D) ひげを剃ること

34. 午後1時に何が起こりますか。
(A) 男性が誰かに電話をかける。
(B) 医師が顕微鏡で調べる。
(C) 彼らがランチをとる。
(D) 顧客が来る。

- **appetite** 名 食欲
- **dull** 形 鈍い
- **bother** 他 悩ます
- **endoscope** 名 胃カメラ
- **appetizer** 名 前菜
- **buzzer** 名 ブザー
- **beard** 名 ひげ
- **telephone** 他 電話をかける
- **microscope** 名 顕微鏡
- **out of sorts** 調子が悪い
- **pain-killer** 名 痛み止め
- **stomach** 名 胃
- **client** 名 お客様
- **suggest** 他 提案する
- **checkup** 名 検査
- **shave (off)** 他 剃る
- **examine** 他 検査する

Questions 35-37 ★★ 🇺🇸▶🇨🇦

35. 正解：(A)　先読みpoint　**What** ▶ 男性は女性に何を依頼している？

攻略法　冒頭で男性が女性の午後の予定を聞いている。続く2文目で「ホフマン氏が誰かに彼を空港に迎えに行ってほしがっている」と説明している。したがって、男性は女性にホフマン氏を迎えに行くことを望んでいることがわかり、(A) Go to meet Mr. Hoffman が正解となる。

36. 正解：(D)　先読みpoint　**What** ▶ 女性は空港に向かう前に何をする？

攻略法　女性が前半の発言で「11時半にミーティングがありますが、そんなにかかりません。（そして）遅くても1時にオフィスを出ます」と言っている。よってオフィスを出る前にはミーティングに参加することがわかる。正解は(D) Join a meeting である。

37. 正解：(B)　先読みpoint　**How** ▶ 女性が空港まで往復するのにどれくらいの時間がかかる？

攻略法　設問の先読みの効果が大いに発揮される問題。先に読んでいれば「往復時間」を問われているとわかるので、出発時刻、到着時刻の両方に集中できる。女性の前半の発言で「遅くとも午後1時にはオフィスを出られる」と言い、後半で「それでは午後7時ごろ戻るでしょう」と言っている。所要時間はおよそ6時間である。したがって正解は(B) 6時間。
　設問を先読みしていなければ、他の数字に惑わされ、誤答してしまう可能性が大きい。

スクリプト

Questions 35 through 37 refer to the following conversation.

M: Patricia, how does your schedule look for this afternoon? Mr. Hoffman from the Silver Church Enterprise called and he wants someone to meet him at the airport at 3:30 P.M. 〔Q35 男性が女性に依頼したこと〕

W: Sure, I can pick him up. I have a lunch meeting at 11:30 but it won't take long. I'll be able to leave the office at 1:00 P.M., at the latest. 〔Q36 女性が空港へ向かう前にする予定〕

M: Okay. Oh, I heard Mr. Hoffman is an eager golfer. Can you take him to the sports shop on the way from the airport?

W: No problem. I enjoy golf too, so it'll be fun to show him the shop. I will be back here around 7:00 P.M., then.

〔Q37 女性が出発する時刻と戻る時刻〕

スクリプトの訳
問題 35-37 は次の会話に関するものです。

男性: パトリシア、今日の午後の予定はどうなっている？ シルバーチャーチ社のホフマン氏が電話をしてきて、誰か、空港に午後3時半に迎えに来てほしいと言っているのだよ。

女性: 喜んで、私がお迎えに行きます。ランチミーティングが11時半にあるんですけど、そんなに長くはかかりません。遅くとも午後1時くらいにはオフィスを出られると思います。

男性: いいですよ。それから、ホフマン氏はゴルフ好きだって聞いたんだよ。空港からの途中でスポーツ用品店があるから、彼を連れて行ってくれないか？

女性: お安い御用です。私もゴルフは好きですから。彼をお店に連れて行くのは楽しいですよ。それでは午後7時ごろに戻ります。

設問・選択肢の訳

35. 男性は女性に何をするようお願いしていますか。
(A) ホフマン氏に会いに行く。
(B) 飛行機のチケットを予約する。
(C) ホフマン氏に電話をする。
(D) ホフマン氏とゴルフをする。

36. 女性は空港に向かう前に何をしますか。
(A) 交通情報を聞く。
(B) 自分の荷物をピックアップする。
(C) ゴルフ店を見つける。
(D) ミーティングに参加する。

37. 女性が空港に行って、戻って来るまでおよそどれくらいかかりますか。
(A) 3時間
(B) 6時間
(C) 12時間
(D) 1日

- **pick up** 車で迎えに行く
- **eager** 形 熱心な
- **reserve** 他 予約する
- **luggage** 名 荷物
- **approximately** 副 おおよそ

Questions 38-40 ★★★ 🇺🇸▶🇨🇦

38. 正解：(B)　先読みpoint　What ▶ 何が問題になっている？

解説 男性の発言はIt's shocking thatで始まっているのでこの後に続くthat節で「ショックだったこと」つまり問題点が聞こえると予測し、注意して聞こう。「企業年金を運用していた会社が倒産した」とあるので「ある企業が倒産した」の意の(B)を選ぶ。

39. 正解：(D)　先読みpoint　When ▶ 男性はいつこの会社で働き始めた？

解説 Whenとあるので、日付や、数字を含む表現をしっかりと待って聞き取る。まず、女性が前半の発言で4 years agoと言っているがあわてて(C)と誤答しないように。それに続く男性の後半の発言では「社員は全員企業年金計画に参加しないといけなかった」に加えて「僕は7年間も払い続けている」とあるので、彼が会社で働き始めたのは(D)「7年前」が正解である。

40. 正解：(A)　先読みpoint　What ▶ 女性は何をすると言っている？

解説 女性の最後の発言で「ホームページを調べて、オンラインサービスがまだ使えるか調べましょう」と聞いているのでこれを言い換えた(A)が正解。web siteやavailableなどの単語が聞こえても、その単語を含む(B)や(C)と誤答しないように注意したい。

スクリプト

Questions 38 through 40 refer to the following conversation.

Q38 問題になっていること

M: It's shocking that the firm managing our corporate pension fund went into bankruptcy.

W: I don't believe it either! What is going to happen to our pension benefits? I have been paying into it since I started working at this company 4 years ago.

Q39 男性がこの会社で働き始めたのはいつ？

M: Unfortunately, every member of our company had to pay into this pension plan. I've paid into it for 7 years. I think we should still receive the annuity. I am going to ask the person in charge.

W: That's good. And I will check their web site and see if their on-line support service is still available.

Q40 女性が次にすること

スクリプトの訳

問題38-40は次の会話に関するものです。

男性: とてもショックだよ、うちの会社の企業年金を運用していた会社が倒産したらしいよ。

女性: それは私だって信じられないわ。私たちの年金はどうなるの？ 4年前にこの会社で働き出してからずっと払い続けていたのよ。

男性: 残念だけど、社員みんながこの企業年金に払わなければいけなかったよね。僕なんか、7年間も払い続けているよ。もちろんまだ年金はもらえると思うよ。担当者に聞いてみるよ。

女性: それがいいわね。私もホームページを見て、オンラインサポートサービスがまだ使えるか調べてみるわ。

設問・選択肢の訳

38. 何が問題になっていますか。
   (A) マネージャーが休暇中であること。
   (B) ある企業が倒産したこと。
   (C) 彼らが古いコンピュータを設置したこと。
   (D) ホテルの部屋が広すぎること。

39. 男性がこの会社で働き始めたのはいつですか。
   (A) 1年前
   (B) 3年前
   (C) 4年前
   (D) 7年前

40. 女性は次に何をすると言っていますか。
   (A) 顧客サービスを調べる。
   (B) ホームページをつくる。
   (C) 彼女の予定を確認する。
   (D) 返金をしてもらう。

- □ **firm** 名 会社
- □ **pension** 名 年金
- □ **go into bankruptcy** 破産する
- □ **annuity** 名 年金
- □ **availability** 名 利用できること
- □ **corporate** 形 企業の
- □ **fund** 名 基金
- □ **benefit** 名 利益
- □ **spacious** 形 広々とした
- □ **refund** 他 返済する

Questions 41-43 ★★

41. 正解：(D) 先読みpoint **Why** ▶ なぜ本社は閉鎖される？

解説 女性が最初の発言でニューヨーク本社が閉鎖されることについて男性に質問している。これに対して男性が最初の発言の2文目に We are forced to close the main branch と言っていて、この後の because of に続く語句を聞き取ると理由がわかる。worsening performance を言い換えた (D) Business is slow.（業績が悪い）が正解。

42. 正解：(B) 先読みpoint **Where** ▶ 営業部員は3月から**どこで働く**？

解説 設問先読みにより、「セールスメンバーはどこ？」と頭の中でつぶやきながら聞くと、男性の最初の発言の3文目に the sales members will be transferred to～とあるので、この後を聞けばよいとわかる。～transferred to the Detroit office. とあり、正解は (B)「デトロイト」である。

43. 正解：(B) 先読みpoint **Which** ▶ どの設備が会社の経費でまかなわれる？

解説 設問に According to the man, とあるので、男性の発言を聞いていれば答えることができる。男性の後半の発言から we are paying for and providing とあるのでこの後の目的語を聞く。「ホームページ制作に必要なパソコン設備は会社が支払う」とあるので選択肢から「パソコン設備」に当てはまるものを探す。正解は (B) Printers（プリンター）である。

スクリプト **Questions 41 through 43 refer to the following conversation.**

W: Mr. Lee, is it true? I heard we will close down our New York main office in March. 〔Q41 本社が閉鎖される理由〕

M: Unfortunately, that's true. We are forced to close the main branch because of our worsening performance. Among the staff in the New York office, the sales members will be transferred to the Detroit office, and the web designers including you will work from home and process orders from the clients.

W: I understand. I wouldn't mind dealing with requests from home as long as I can receive the same salary as I do now.

M: Of course, we have no plans to reduce salaries at the moment. In addition, we are paying for and providing all the necessary computer equipment that you'll need for making clients' web-pages. 〔Q43 会社の経費でまかなわれる設備〕〔Q42 営業部が3月から働く場所〕

スクリプトの訳

問題 41-43 は次の会話に関するものです。

女性：リーさん、本当なんですか。ニューヨーク本社を3月にたたむと聞いたんですが。
男性：残念ながらそれは本当なんだよ。業績悪化のため本社をたたむのはやむを得ないことなんだ。本社勤務だった社員のうち、営業部員はデトロイト支店に異動になり、君のようなウェブデザイナーには自宅でクライアントからの発注を受けてもらうようにするよ。
女性：そうですか、今と同じお給料がいただけるのであれば、自宅勤務で発注を受けてもかまいません。
男性：もちろん、今のところ減給の予定はないよ。それにクライアントのホームページ制作に必要なパソコンの設備はすべて請求してもらえれば、会社からも支給するよ。

設問・選択肢の訳

41. なぜ本社は閉鎖されるのですか。
(A) 駅から遠いから。
(B) 従業員たちが十分な資金を持っていないから。
(C) ビルが改築されるから。
(D) 業績が悪いから。

42. 営業部員は3月からどこで働きますか。
(A) 本社
(B) デトロイト
(C) ニューヨーク
(D) 自宅

43. 男性によると、どの設備が会社の経費でまかなわれますか。
(A) 掛け算九九の表
(B) プリンター
(C) ホワイトボード
(D) コーヒーメーカー

- □ **worsen** 自 悪化する
- □ **transfer** 他 移す
- □ **in addition** 加えて
- □ **equipment** 名 備品
- □ **expense** 名 費用
- □ **performance** 名 業績
- □ **reduce** 他 減らす
- □ **provide** 他 提供する
- □ **renovate** 他 改築する
- □ **multiplication** 他 掛け算九九

Questions 44-46 ★★ 🇬🇧▶🇺🇸

44. 正解：(D) 先読みpoint Where ▶ 会話はどこで行われている？
[解説] 女性の最初の発言から総合的に判断する。女性は「ガソリンスタンドは次の信号のところにある」、「車線を変更しましょう」と言っているので車の中での会話だとわかる。したがって正解は(D) In a car（車の中）となる。

45. 正解：(B) 先読みpoint What ▶ 女性は男性に何を提案している？
[解説] 女性が最初の発言でAren't we going to stop off at a gas station?と言っている。「ガソリンスタンドに寄る」目的は「ガソリンを補給すること」。つまり(B)Refuel an automobileが正解である。

46. 正解：(C) 先読みpoint What ▶ ガソリンの値段に関して何が推測される？
[解説] 男性が最初の発言でBut I heard the price of gasoline has risen sharply.と言っており、ここでガソリンの値段が急に上がったことがわかる。直後にI don't want to pay $4.00 per gallon.とあるので今の値段は4ドル。したがって「急騰して4ドルになった」という(C) It has soared to $4.を選ぶ。

スクリプト　　Q44 会話が行われている場所　　Q45 女性が男性に提案していること

Questions 44 through 46 refer to the following conversation.

W: Aren't we going to stop off at a gas station? I think there is one at the next traffic light. We should change lanes.
M: I know. But I heard the price of gasoline has risen sharply recently. I don't want to pay $4.00 per gallon.
W: So you can drive 2 more hours without stopping for gas?
M: You are right. That's impossible. Well, I guess that's it then. I will stop at the next filling station on the way.

Q46 ガソリンの値段に関して推測されること

> スクリプトの訳

問題44-46は次の会話に関するものです。

女性：ガソリンスタンドに寄って行かない？ 次の信号のところに1軒あると思うのよ。車線を変更しておきましょうよ。

男性：わかっているよ。でも最近ガソリンの値段がすごく上がったんだよ。1ガロンに4ドルも払いたくないよね。

女性：じゃ、ガソリンスタンドに寄らないであともう2時間も走行するの？

男性：君の言うとおり、不可能だよね。しかたがない、途中の次のスタンドに立ち寄ることにするよ。

> 設問・選択肢の訳

44. 会話はおそらくどこで行われていますか。
(A) ガソリンスタンド
(B) 建設現場
(C) 電車の中
(D) 車の中

45. 女性は男性に何をするように提案していますか。
(A) 信号で彼女を降ろす。
(B) 車にガソリンを補給する。
(C) スケジュールを変更する。
(D) 2時間以上運転する。

46. ガソリンの値段に関して何が推測されますか。
(A) 刻々と変化している。
(B) 4ドルに急落した。
(C) 4ドルに急騰した。
(D) 最近は変化していない。

- □ **stop off** ちょっと立ち寄る
- □ **gallon** 名 ガロン
- □ **suggest** 他 提案する
- □ **refuel** 他 燃料を補給する
- □ **infer** 他 推測する
- □ **fluctuate** 自 変動する
- □ **traffic light** 信号
- □ **construction site** 建設現場
- □ **drop off** （乗り物から）降ろす
- □ **automobile** 名 自動車
- □ **constantly** 副 絶えず
- □ **soar** 自 急騰する

Questions 47-49 ★★

47. 正解：(A) 先読みpoint **Where** ▶ 話し手はおそらく**どこ**にいる？

解説 女性が最初の発言の2文目にI frequently visit this store.と言っているので、ここは何かの「店」であることがわかる。ここで答えが(A)か(B)かに絞られる。続いて「このデザインの空色の財布は見たことがありません」と言っており、答えは「財布」を販売している場所、(A) In a boutiqueが正解だとわかる。

48. 正解：(D) 先読みpoint **Which** ▶ オリジナルカラーは**何色**？

解説 男性が最初の発言で春の新作について説明している。4文目の〜to the original men's lines の間にblack and brownとあり、黒と茶色が既存の色だとわかる。したがって(D) Blackが正解である。

49. 正解：(C) 先読みpoint **What** ▶ 女性に関して**どれが正しい**？

解説 女性は後半の発言で「ボーイフレンドの誕生日が2週間後にある」ことと「彼は空色か、銀色が好きだろう」と言っているので、彼への誕生日プレゼントを選んでいるとわかる。したがって(C)が正解となる。ちなみに(D)「現金払いをする」かどうかはこの会話からはわからないので、間違い。

スクリプト **Questions 47 through 49 refer to the following conversation.**

W: Isn't this blue one beautiful? I frequently visit this store, but I have never seen this sky blue wallet in this pattern. It's fascinating!

M: You have an expert eye, madam. This is the lineup for the new spring collection, and it arrived just yesterday. This line has been well received. So we added 4 new colors, sky blue, silver, magenta pink, and vermillion red to the original black and brown men's lines.

W: Wow! There are so many colors to pick from. Actually, my boyfriend's birthday is coming in two weeks. I think he would like either the sky blue or silver one.

M: All right, madam. Both sky blue and silver are new colors. Please take your time to select the one you feel is best. By the way, we accept all major credit cards.

> スクリプトの訳

問題47-49は次の会話に関するものです。

女性：この青い色はすごくきれいですね！　こちらのお店はよく立ち寄るのですけど、このデザインの財布で空色は初めて見ました。素敵ですね。

男性：さすが、お目が高いですね、お客様。こちらの品々は春の新作シリーズで昨日届いたものなんですよ。とても好評だったので既存の黒と茶色のメンズシリーズに空色、銀色、マゼンタピンク、朱色の新しい4色を加えさせていただいております。

女性：まあ！　いろいろな色から選べるんですね。実はボーイフレンドの誕生日が2週間後にあるのです。彼は空色か、シルバーが好きだと思うんですよ。

男性：かしこまりました、お客様。空色もシルバーも新色でございます。良いと思われるものをごゆっくりお選びください。クレジットカードのお支払いも可能ですので。

> 設問・選択肢の訳

47. 話し手はおそらくどこにいますか。
　　(A) ブティック
　　(B) 金物屋
　　(C) 美術館
　　(D) 画廊

48. 既存のカラーに含まれているのはどの色ですか。
　　(A) 空色
　　(B) 銀色
　　(C) 赤
　　(D) 黒

49. 女性に関して正しいと思われるのはどれですか。
　　(A) この店に来るのは初めてである。
　　(B) 視力が良い。
　　(C) 誕生日プレゼントを選んでいる。
　　(D) 現金で支払いをする。

- **frequently** 副 頻繁に
- **expert eye** お目が高い
- **vermillion** 名 朱色の
- **hardware** 名 金物類
- **fascinating** 形 素敵な、魅惑的な
- **magenta** 名 マゼンタ、赤紫色
- **boutique** 名 ブティック

Questions 50-52 ★★★ 🇺🇸 ▶ 🇨🇦 ▶ 🇬🇧

50. 正解（C） 先読みpoint **Where** ▶ これはどこでの会話？

攻略法 女性1は最初の発言で Good morning Jenna, would you like a cup of coffee? と、男性にコーヒーを飲まないかと提案している。これを受けて男性は最初の発言で男性をJennaと呼び、仕事の話をしているので、女性はレストランの店員でないことがわかる。選択肢のうち、コーヒーを飲みながら同僚が仕事の話をするのは「休憩室」が適当。したがって（C）In a breakroomが正解となる。

51. 正解（B） 先読みpoint **What** ▶ 男性は会社について何と言っている？

攻略法 男性は3回目の発言で The company is really pressuring us to finalize everything as fast as possible.（会社は、我々にできるだけ早くすべてを終わらせるようにすごく圧力をかけています。）と言っている。したがって、「会社はプロジェクトを早く終わらせる必要がある」の意の（B）It needs a project finished soon. が正解である。

52. 正解（D） 先読みpoint **What** ▶ 女性たちは何を提案している？

攻略法 女性1は3回目(最後)の発言でwhy don't we call the client in for another conference?（もう1つの別の会議のためにクライアントを呼びませんか。）と言っている。それに続く女性2の最後の発言で、I like that. We could meet as early as this Friday.（それがいいです。我々は、早ければ今週の金曜日には会うことができるでしょう）とあり、女性は2人とも会議を計画しようとしていることがわかる。したがって正解は(D) Setting up a meetingとなる。

スクリプト **Questions 50 through 52 refer to the following conversation with three speakers.**

Q50 どこでの会話？

W1: Good morning Eddie, would you like a cup of coffee?
M: I'd love one, Jenna. I was working from home on the account for the new client deal....uh...you know, with Zanta Semiconductors. I must've been up until about 2:00 A.M.
W1: Wow! So... that's why you look so tired. That's a difficult project.
M: Yes, because they want quite a few changes to the contract draft. I've had to carefully review the financial impact of each request. Sala, I actually sent you a summary of all this before I came into work today.
W2: I saw that in my e-mail inbox, but I haven't had a chance to look it over.

Q51 男性が会話について言っていることは？

M: I hope that you can do that soon. The company is really pressuring us to finalize everything as fast as possible.
W1: Instead of exchanging e-mails and spreadsheets, why don't we

244

call the client in for another conference? Try to settle these final points face-to-face? ← **Q52** 女性が提案していることは?

W2: I like that. We could meet as early as this Friday.

スクリプトの訳 問題50-52は次の3人の会話に関するものです。

女性1: おはようエディー、コーヒーを飲みますか?

男性: 一杯いただきます、ジェンナ。私は、新しいクライアントの取引のために家から働いていました....あー...ほら、Zanta Semiconductorsです。私は、午前2時頃まで起きていなければなりませんでした。

女性1: わあ!だから...そういうわけで、あなたはとても疲れているように見えます。それは、難しいプロジェクトですよ。

男性: はい、なぜなら、彼らが契約案のかなりの多くの変更を望むからです。私は、各々の要請の財政的な影響を慎重に見直さなければなりませんでした。サラ、実は私は、今日仕事に来る前に、この全ての概要をあなたに送りました。

女性2: 私は電子メールの受信ボックスでそれを見ました。しかし、私にはそれに目を通す機会がありませんでした。

男性: あなたがすぐにそうできることを望みます。会社は、私たちにできるだけ早くすべてを終わらせるようにすごく圧力をかけています。

女性1: 電子メールと表計算を交換し合う代わりに、もう1つの別の会議のためにクライアントを呼びませんか。お互いにこれらの最終的な点を解決しましょう。

女性2: それがいいです。私たちは、早ければ今週の金曜日には会うことができるでしょう。

設問・選択肢の訳

50. この会話は、どこで行われていると思われますか。
(A) 公園
(B) 会議
(C) 休憩室
(D) レストランのキッチン

51. 会社について、男性は、何と言っていますか?
(A) チームを拡大する予定である。
(B) プロジェクトをすぐに終わらせる必要がある。
(C) 従業員に遅くまで働くことを強要する。
(D) より多くの顧客を見つけたがっている。

52. 女性たちは、何を提案していますか?
(A) 契約を終えること
(B) 監督に意見を聞くこと
(C) 分析を概説すること
(D) 会議を準備すること

- ☐ **on the account**　そのために
- ☐ **quite a few**　かなり多数の、かなり多くの
- ☐ **impact** 名 影響、効果、衝撃
- ☐ **finalize** 他 完成させる、終了させる
- ☐ **settle** 他 決める、解決する、決定する
- ☐ **face-to-face**　面と向かって、直接の
- ☐ **convention** 名 総会、会議、大会
- ☐ **insist** 自 強要する、要求する、主張する、言い張る
- ☐ **consult** 他 意見を聞く、助言を求める
- ☐ **supervisor** 名 監督者、管理人

Questions 53-55 ★★

53. 正解：(A)　先読みpoint　What ▶ 男性は何を待っている？
解説　男性は最初の発言の1文目に「モントリオール支店からの荷物を待っている」と言っている。ここでMontrealが聞き取れても、あわてて(B)に誤答しないよう注意。他に当てはまる選択肢もないので、2文目まで聞くと「先週ヘッドホン40台の出荷の依頼をした」とある。したがって正解は(A)である。

54. 正解：(C)　先読みpoint　What ▶ ゲストに関して何が推測できる？
解説　男性の後半の発言で初めてゲストに関する表現が出てくる。「ゲストはアイボリーコースト出身で、フランス語のみを話す」とあるので正解は(C)である。shipment、hearなどの音につられて(B)、(D)にマークしないように注意。

55. 正解：(D)　先読みpoint　What ▶ 女性は何を提案している？
解説　女性の後半の発言のIn that case, why don't we～と聞いて、すぐ後に提案の内容が聞こえるので、心の準備をしよう。～ask the translator to carry out the interpretation sentence by sentenceとあるので、「simultaneous（同時に）」でなく、「sentence by sentence（センテンスごとに）通訳をしてもらうように、通訳者に頼む」と言っている(D)が正解となる。

スクリプト　Questions 53 through 55 refer to the following conversation.

M: Cindy, I've been expecting a package from the Montreal branch. I asked for a shipment of 40 headsets last week. Have you seen the parcel yet?　　Q56 男性が待っているもの

W: No, I was sitting at the front desk all morning and the delivery person told me there were no packages for us today.

M: Are you sure? We need the headsets for today's seminar scheduled for 2:00 P.M. We invited a guest speaker from the Ivory Coast who speaks only French. I was going to let the participants hear simultaneous translation through the headsets.

W: I see. In that case, why don't we ask the translator to carry out the interpretation sentence by sentence so that the audience can hear both languages.　　Q57 ゲストに関して予想できること

Q58 女性が提案していること

スクリプトの訳

問題 53-55 は次の会話に関するものです。

男性：シンディー、モントリオール支店から荷物が届くのを待っているんだよ。ヘッドホンを 40 台、先週出荷の依頼をしたんだ。荷物は届いていないかい？

女性：いいえ、受付に午前中ずっと座っていましたが、配達係の人はこちらの部署には何も届いていないと言っていました。

男性：本当かい？ 今日の午後2時から予定されているセミナーでヘッドホンが必要なんだよ。アイボリーコーストからフランス語しか話さないゲストが来て、参加者には同時通訳の音声をヘッドホンで聞いてもらう予定でいたんだ。

女性：そうですか。それでは通訳者にセンテンスごとに通訳してもらうように頼んでみたらいかがでしょうか。そうすれば参加者はどちらの言語も聞くことができますからね。

設問・選択肢の訳

53. 男性は何を待っていましたか。
  (A) ヘッドホンの到着
  (B) モントリオール支店からの電話
  (C) 今日のセミナーのスケジュール
  (D) ゲストスピーカーからの招待

54. ゲストスピーカーに関して何が推測されますか。
  (A) 彼の飛行機が遅れた。
  (B) 彼の船はフランス行きである。
  (C) 彼は英語を話さない。
  (D) 彼は耳がよく聞こえない。

55. 女性は何をすることを提案していますか。
  (A) 荷物を追跡する。
  (B) セミナーのスケジュールを変更する。
  (C) ヘッドホンとマイクを同時に使う。
  (D) 通訳者に他の方法で通訳してもらう。

- **expect** 他 期待する
- **participant** 名 参加者
- **interpretation** 名 通訳
- **bound for** 〜行きの
- **reschedule** 他 計画を変更する
- **headset** 名 ヘッドホン
- **simultaneous** 形 同時の
- **invitation** 名 招待
- **trace** 他 追跡する
- **simultaneously** 副 同時に

Questions 56-58 ★★ 🇺🇸▶🇬🇧

56. 正解：(B) 先読みpoint **What** ▶ 男性は女性にすでに何を送っている？

攻略法 男性が最初の発言で Ms. Kovacs, I'm wondering if you have a minute...uh...to tell me what you thought of the cost control proposal our team sent you.（コヴァックスさん、ちょっとよろしいですか。ええと... 我々のチームが、あなたに送ったコスト管理の提案をどう思ったかを教えていただけますか。）と言っていることから、あらかじめ男性は女性に「コスト管理の提案」を送ったということがわかる。これを「事業運営の計画」と表現している (B) A plan for operations が正解だとわかる。

57. 正解：(B) 先読みpoint **What** ▶ 女性はどんな意味で「そういうことではありません」と述べている？

攻略法 女性が後半の発言でI wouldn't say that. と言っているが、これを聞いたときにはすでに that の指すものの音声は流れた後である。この直前で男性が I guess...um...we weren't persuasive enough.（十分な説得力がありませんでした）と話している状況を映像化しておくことが大切。女性は男性が「説得力がなかった」と言っていることを否定してから、「提案について考えるには会社がまだ忙しい」ことを述べているので、「男性の、ある考えは正しくない」の意の (B) An idea is incorrect. が正解である。

58. 正解：(C) 先読みpoint **What** ▶ 会社は何で忙しいのか？

攻略法 設問を読んだだけで、あらかじめ会社が何かで忙しいということがわかっている。選択肢の並びは図表の右の欄と同じなので、音声ではおそらく図表の左の「第〜期」について流れると推測して心構えをしておこう。女性が後半の発言の2文目でBut the company is already busy dealing with our plans for Quarter 3. といっているので図表のQuarter 3 の隣を見ると答えがわかる。(C) Machinery-upgrades が正解となる。

スクリプト **Questions 56 through 58 refer to the following conversation and schedule.** ──Q56 男性がすでに送ったもの

M: Ms. Kovacs, I'm wondering if you have a minute...uh...to tell me what you thought of the cost control proposal our team sent you.

W: I agree with most of your main points, although many of your suggestions might not be practical—such as closing some of our old facilities. ──Q57 女性はどんな意味で言ったか？

M: I guess...um...we weren't persuasive enough.

W: I wouldn't say that. But the company is already busy dealing with our plans for Quarter 3. I think we might be able to consider your suggestions sometime next fiscal year.
──Q58 会社は何で忙しいか？

> スクリプトの訳

問題56-58は次の会話とスケジュール表に関するものです。

男性：コヴァックスさん、ちょっとよろしいですか。ええと…我々のチームが、あなたに送ったコスト管理の提案をどう思ったかを教えていただけますか。

女性：あなたの要旨の大部分には同意しますが、提案の多くは、古い施設のいくつかの閉鎖することなどのように、実用的でないかもしれません。

男性：私が思うに…うーん…我々は、十分な説得力がありませんでした。

女性：そういうことではありません。しかし、我が社はすでに第3四半期の計画に対処するのに忙しいです。来年度には、あなたの提案について考えることができるかもしれないと思います。

> 設問・選択肢の訳

ヌーン工業

期間	主要計画
第1四半期	エンジニア募集
第2四半期	品質管理の批評
第3四半期	機械の改善
第4四半期	製品ラインの（運転）開始

56. 男性は、何をすでに女性に送っていますか。
(A) 会議の議事録
(B) 事業運営の計画
(C) 顧客の提案
(D) 施設のデザイン

57. 女性が「そういうことではありません」と言った時、彼女は何を意味していますか。
(A) 声明は失礼である。
(B) 考えが正しくない。
(C) 組織は誤っている。
(D) 契約は受け入れられない。

58. スケジュール表を見てください。会社は、何で忙しいですか。
(A) エンジニア募集
(B) 品質管理
(C) 機械の改善
(D) 製品ラインの（運転）開始

- □ **proposal** 名 提案、申し込み
- □ **suggestion** 名 提案
- □ **persuasive** 形 説得力のある
- □ **fiscal year** 会計年度、年度、財政年度
- □ **operation** 名 運転、運営、経営、活動
- □ **impolite** 形 失礼な、不作法な
- □ **unacceptable** 形 受け入れられない、容認できない
- □ **recruitment** 名 募集、人員補充
- □ **machinery** 名 機械
- □ **practical** 形 実用的な、実践的な
- □ **facility** 名 設備、施設
- □ **deal with** 扱う、対処する
- □ **minutes** 名 議事録
- □ **statement** 名 声明
- □ **contract** 名 契約
- □ **review** 名 評論、批評、反省、報告
- □ **launch** 動 （事業などに）乗り出す、開始する

Questions 59-61 ★★★ 🇬🇧▶🇺🇸

59. 正解：(B) 先読みpoint Why ▶ 女性はどうしてランデル氏に電話をした？

解説 女性は前半でHello, と呼びかけた後にI'm calling to〜と、電話をした目的について説明している。続いて〜to inquire about the job opening for〜とあるので、「求人について問い合わせたい」つまり、(B) To apply for a job offerが正解となる。

60. 正解：(C) 先読みpoint What ▶ 男性は女性に何をするように求めた？

解説 男性が最初の発言の3文目にPlease send us〜と言っているので、女性に何かを送るよう求めたとわかる。résumé（履歴書）を言い換えたcurriculum vitaeを含む選択肢、(C)「履歴書を送る」が正解である。

61. 正解：(A) 先読みpoint What ▶ 女性は何を知りたい？

解説 女性は後半の発言の3文目にHow many people do you think will obtain〜と言っているので新しく採用するポジションの「人数」を知りたがっていることがわかる。したがって(A)「採用枠の空き」が正解。

Q62 女性が電話をした理由　　Q63 男性が女性に対して求めたこと

スクリプト **Questions 59-61 refer to the following conversation.**

W: Hello, I'm calling to inquire about the job opening for the software creator that appeared in *Entertainment Monthly*. May I speak to Mr. Randall, the personnel director, please?

M: Speaking. We are also accepting applicants for a software advisor as well as creators. Please send us a copy of your résumé and at least one letter of recommendation.

W: Sure. Actually, I've always been very interested in your company and would really love to work for you. How many people do you think will obtain the creating positions?

M: Basically, there are 3 available positions for the creators. But, in any case, we may be hiring more than that if they are very capable and qualified for the positions.　　Q64 女性が知りたいこと

スクリプトの訳　問題59-61は次の会話に関するものです。

女性：すみません、『月刊エンターテインメント』に載っていた、ソフトウェアクリエーターの求人について聞きたくて、お電話いたしました。人事部長のランデル氏をお願い

したいのですが。
男性：私です。私たちはクリエーターの他にもソフトウェアアドヴァイザーの志願者も受け付けております。履歴書と少なくとも1通の推薦状を送ってもらえますか。
女性：承知いたしました。本当に御社にはずっと興味がありまして、どうしても働きたいのです。クリエーターのポジションには何人くらい就くことができるのでしょうか。
男性：基本的にはクリエーター枠は3席空いています。しかしどちらにしても、本当に能力があって資格に適した人材が見つかればもっと多く採用するかも知れません。

設問・選択肢の訳

59. 女性はどうしてランデル氏に電話をしたのですか。
(A) ファイルを開くため。
(B) 求人に応募するため。
(C) 月刊誌を購読するため。
(D) 人を推薦するため。

60. 男性は女性に何をするように求めましたか。
(A) クリエーターのアドバイスに従う。
(B) 彼の私物を送る。
(C) 履歴書を提出する。
(D) 新たな理論を認める。

61. 女性は何を知りたがっていますか。
(A) 採用枠の空き数
(B) 面接の日程
(C) プログラム作成の方法
(D) 推薦状の締め切り

- inquire about　〜を尋ねる
- applicant　名 志願者
- recommendation　名 推薦
- hire　他 雇う
- qualified　形 資格のある
- subscribe to　〜を購読する
- individual　名 個人
- submit　他 提出する
- theory　名 理論
- personnel　名 人事部
- résumé　名 履歴書
- obtain　他 得る
- capable　形 能力がある
- apply　自 応募する
- journal　名 雑誌
- belongings　名 所有物
- curriculum vitae　履歴書
- reference　名 推薦状

Questions 62-64 ★★★ 🇺🇸▶🇨🇦

62. 正解：(B) 先読みpoint **Who ▶ 男性は誰？**
解説 男性は最初からセミナールームの予約ができずに戸惑っている旨を話している。4文目で My staff ID is "BK98011" と自分の社員番号を伝えていることから (B) の An employee（従業員）が正解だとわかる。

63. 正解：(C) 先読みpoint **What ▶ 男性は何を主張している？**
解説 セミナールームの規定については男性が後半の発言で that's ridiculous（それはおかしいですよ）と言い、天候不良によるキャンセルの件を当日に担当者に話をした旨を主張している。当てはまる選択肢は (C)「彼は規定を守った」で、これが正解。

64. 正解：(B) 先読みpoint **What ▶ 女性は男性に返信する前に何をする？**
解説 女性の最後の発言の3文目に「今日か明日に内部メールを送ります」とあるが、これを聞くときは解答の手がかりが放送された後である。1文前に I will look into the matter と言っているのでこれを言い換えた (B) が正解である。

スクリプト Questions 62-64 refer to the following conversation.

M: Excuse me. I'm calling because I can't reserve any of the seminar rooms. And I would like to know why I keep getting a message saying that I have been suspended from booking rooms. My staff ID is "BK98011". ← Q65 男性は誰？

W: All right. Let me see …, well according to our records, on Feb 25th you canceled seminar room A, without any previous notice. Canceling without pre-notification receives an automatic 3 month-suspension. ─ Q66 男性が主張していること

M: But that's ridiculous. I called the person in charge on the morning of that day. It was snowing badly so I requested him to cancel the room because almost nobody would be attending due to the weather.

W: I see, well obviously, you did nothing wrong. I will look into the matter and get the suspension lifted. I will send you an internal mail later today or tomorrow with the details.
─ Q67 女性が男性に返信する前にすること

スクリプトの訳 問題62-64は次の会話に関するものです。

男性：すみません。お電話している理由は、セミナールームがどれも予約できないのです。それに、予約停止のメッセージがずっと表示されてしまうのはどうしてか知りたいのです。私の社員番号はBK98011なのですが。

女性：わかりました。少しお待ちください。えっと、こちらの記録では2月25日に事前連絡なしにセミナールームAをキャンセルされていますね。予告なしにキャンセルしたので自動的に3か月間の利用停止処分になったのです。

男性：それはおかしいですよ。私はその日の朝、担当者に電話をかけましたから。その日は雪がひどかったので、ほとんどの参加者が天候不良のため参加できないと思い、部屋をキャンセルするように担当者にお願いしたのです。

女性：そうですか、では、明らかにあなたに手違いはなかったようですね。それでは状況を確認して利用停止を解除しましょう。詳細については内部メールを今日、明日中に送りますので。

設問・選択肢の訳

62. 男性はおそらく誰だと考えられますか。
  (A) 弁護士   (B) 従業員
  (C) 担当者   (D) 郵便配達人

63. 男性はセミナールームの規定について何を主張していますか。
  (A) 彼はその部屋を3年前にキャンセルした。
  (B) それは参加者の期待に沿うことができなかった。
  (C) 彼は規定を守った。
  (D) その部屋は小さ過ぎた。

64. 女性は男性に折り返しメールをする前に何をしますか。
  (A) サスペンダーを探す。   (B) 問題の調査を行う。
  (C) 彼の番号を暗記する。   (D) 参加者の1人に電話をする。

□ **suspend** 他 一時停止する
□ **previous** 形 事前の
□ **suspension** 名 停止
□ **in charge** 担当の
□ **obviously** 副 明らかに
□ **lift** 他 解除する
□ **insist** 他 主張する
□ **abide by** ～を順守する、～を守る
□ **memorize** 他 暗記する、記憶する

□ **book** 他 予約する
□ **pre-notification** 名 事前連絡
□ **ridiculous** 形 ばかげた
□ **due to** ～のため
□ **look into** 他 ～を調べる
□ **internal** 形 内部の
□ **participant** 名 参加者
□ **investigate** 他 調査する

Questions 65-67 ★★★ 🇦🇺▶🇬🇧

65. 正解：(A) 先読みpoint **What** ▶ 女性は何を話したかった？
解説 女性が冒頭でDid you hear the government report〜?と聞いている。つまりgovernment report（政府の報告）を言い換えた(A) Official announcementが正解。

66. 正解：(A) 先読みpoint **What** ▶ 男性は何を聞きたい？
解説 男性の後半の発言の2文目にI am going to ask the president if〜とあるのでこの後を聞くと、「この発表が計画によい影響を与えるか聞いてみる」とある。これだけでは当てはまる選択肢はなく、(B) Positive feedbackと誤答してしまいがちだが、さらにDo you still have the project's proposal somewhere? I would like to show it to him again. とあり、前の女性の発言を受けて資金調達の説得をしようという意図がわかる。したがって(A)が正解となる。

67. 正解：(D) 先読みpoint **Where** ▶ 女性はどこに計画書を保管している？
解説 男性の「計画書はどこかにまだ持っているか」の問いかけに対して女性は後半の発言でIt's on my laptop.と答えている。これを言い換えた(D) On computerが正解である。

スクリプト **Questions 65 through 67 refer to the following conversation.**　　　Q68 女性が話したかったこと

M: Did you hear the government report saying that the Federal Reserve Board will lower the interest rate to 2 percent?

W: That's just what I wanted to talk with you about. I hope our firm can obtain a loan from the Brade Bank because of this announcement. I believe and hope that our new project will also be funded at this time.　　Q69 男性が社長に聞きたいこと

M: You are right. I am going to ask the president if this news will have a positive effect on the project. Do you still have the project's proposal somewhere? I would like to show it to him again.　　Q70 女性が計画書を保管している場所

W: It's on my laptop. Let me print it out right now so that you will be able to persuade the president to finance us.

スクリプトの訳 問題 65-67 は次の会話に関するものです。

男性：連邦準備理事会が金利を2％に引き下げるという経済政策の発表はもう聞いた？

女性：そう、それをあなたと話したかったのよ。この発表を受けて私たちの会社もブレード銀行から融資してもらえるといいわね。私たちの新しいプロジェクトにも今回は予算がもらえると信じて期待しているのよ。

男性：そのとおりだよ。社長にこのニュースがプロジェクトによい影響をもたらすかどうか聞いてみるよ。どこかに計画書はまだ持っているかい？ もう一度彼に見せてみようと思うんだ。

女性：ラップトップにあるわ。すぐにプリントアウトするから、社長に融資をお願いできるように説得してみて！

設問・選択肢の訳

65. 女性は男性と何について話したかったのですか。
    (A) 公式発表
    (B) 商工会議所
    (C) 国債
    (D) 期末レポート

66. 男性は社長に何を聞きたいと考えていますか。
    (A) 新プロジェクトへの資金援助
    (B) よいフィードバック
    (C) そのニュースの信頼性
    (D) 金利のパーセンテージ

67. 女性は計画書をどこに保管していますか。
    (A) プリンターの上
    (B) 一番上の引き出しの中
    (C) 机の上
    (D) パソコン上

- **Federal Reserve Board**　（米）連邦準備理事会（FRB）
- **lower**　他 下げる
- **interest rate**　金利
- **obtain**　他 得る
- **loan**　名 融資
- **announcement**　名 発表
- **fund**　他 資金を供給する
- **proposal**　名 計画書、提案
- **laptop**　名 ノート型パソコン
- **persuade**　他 説得する
- **finance**　他 融資する
- **board of trade**　商工会議所
- **raise**　他 調達する
- **reliability**　名 信頼性
- **drawer**　名 引き出し

Questions 68-70 ★★★ 🇺🇸▶🇨🇦

68. 正解 (B) 先読みpoint What ▶ 男性が最も重要だと言っている成分は何？

攻略法 図表には「朝食のシリアル」とあり、左側に成分が、右側に量が記してある。設問を先に読むと、ingredient「成分」は何かについて聞かれることがあらかじめわかっている。選択肢と図表の成分は同じものが並んでいる。したがって、会話文では図表の右側の「量」について言及があると推測して待つとよい。実際、男性は後半の発言で it's got 15 milligrams of the ingredient I care most about（私が最も好んでいる成分を 15 ミリグラム含んでいる）と言っている。正解は図表の 15 milligrams の左に書かれている (B) Vitamin B である。

69. 正解 (C) 先読みpoint What ▶ 男性はどんな意味で言っている？

攻略法 男性は健康的なシリアルを探している。女性があるブランドの砂糖の量について紹介しているのを受けて、男性が後半の発言で That should be clear enough to anyone.（それは誰にでも十分に明らかなはずです）と言っている。男性は「砂糖の量」が明らかであると言っているので、正解は「ある事実が特に明らかである」の意の (C) A fact is especially obvious. だとわかる。

70. 正解 (A) 先読みpoint What ▶ 女性は男性に何を申し出ている？

攻略法 男性がシリアルを決めた後に、女性が後半の発言で、Good decision.（良い決定ですね）と言っている。続いて I'll put the box in your cart.（その箱をあなたのカートに入れましょう）と言っているので、女性はその商品を男性の購入品とすることを申し出ている。したがって (A) Place an item among his purchases. が正解となる。

スクリプト **Questions 68 through 70 refer to the following conversation and label.**

M: Excuse me, I'm looking for cereal...but...something that's healthy.
W: Take a look at this brand. As you can tell from the label, it's only got a few grams of sugar. ← Q69 男性はどんな意味で言っている？
M: That should be clear enough to anyone. But... I...uh... also see that it's got 15 milligrams of the ingredient I care most about... you know, as far as giving me a lot of energy. I think I'll go ahead and buy this. └─ Q68 男性が重要だと言っている
W: Good decision. I'll put the box in your cart. Just make sure you show your store member's card—if you've got one—to the cashier. └─ Q70 女性が申し出ていること

> スクリプトの訳

問題68-70は次の会話とラベルに関するものです。

男性：すみません、私はシリアルを探しています…しかし…健康的なものです。
女性：このブランドをご覧ください。ラベルからお分かりのように、2、3グラムの砂糖を含んでいるだけです。
男性：それは、誰にでも十分に明らかなはずです。しかし、… 私…あぁ… 私が最も好んでいる成分を15ミリグラム含んでいることも分かります。それは私に多くのエネルギーを与えるので。私は、このままこれを買うと思います。
女性：よい決定ですね。その箱をあなたのカートに入れましょう。もしお持ちなら、当店のメンバーズカードを必ずレジ係にお見せください。

> 設問・選択肢の訳

朝食のシリアル	
成分：1人前の分量	
砂糖：	10グラム
コレステロール：	5グラム
ビタミンC：	40ミリグラム
ビタミンB：	15ミリグラム

68. ラベルを見てください。男性が最も重要だと言っている成分は何ですか。
(A) ビタミンC
(B) ビタミンB
(C) 砂糖
(D) コレステロール

69. 男性が「それは、誰にでも十分に明らかなはずです」と言った時、彼は何を意味していますか。
(A) ある計画が効果的であると分かった。
(B) ある目標が達せられた。
(C) ある事実が特に明らかである。
(D) ある概念がひどく疑わしい。

70. 女性は、男性のために何をすると申し出ましたか。
(A) 商品を購入品の1つにすること。
(B) 彼のカートをメインの通路へ動かすこと。
(C) いくつかのブランドを彼に見せること。
(D) 店キャッシャーに連絡すること。

☐ **look for** 〜を探す
☐ **as far as** 〜する限り、〜まで
☐ **serving** 名 一人前
☐ **amount** 名 量、総計、総額
☐ **obvious** 形 明らかな、明白な
☐ **purchase** 名 購入物、買い物
☐ **take a look at** 〜を見る、一見する
☐ **make sure** 確かめる、必ず〜する
☐ **cholesterol** 名 コレステロール
☐ **effective** 形 有効な、効果的な
☐ **severely** 副 ひどく、厳しく
☐ **aisle** 名 通路

Part 4

Questions 71-73 ★★

71. 正解：(A) 先読みpoint　What ▶ 接客業界に関して述べられていることは何？

解説　Part 4においてもPart 3同様に、設問の3問中1問目は全体に関する問題が多く、最初の文を聞くと正解に結びつく可能性が高い。この説明文でも冒頭がThe hospitality sector isで始まっている。設問を先に読んでいれば、「接客産業」に関して聞けばよいことがわかっているので、この後を聞くと容易に正解できる。fastest-growing industries（最も急成長している産業）と聞こえたら即座に(A) Its growth patternsを正解としよう。

72. 正解：(B) 先読みpoint　What ▶ 「求職者にとって重要なこと」を聞き取ろう。

解説　設問のjobseekersは「求職者」の意味だとわかっていれば、3文目For those of you who want to be successful in this industryと聞いて、この後に聞き取りポイントが出てくると推測できる。specific skills and real-life experiences are critical.（特定の技術と実務経験が必要）とあるので正解は「実地経験」を意味する(B) Field experienceである。

73. 正解：(C) 先読みpoint　What ▶ 聞き手が次にすることを聞き取ろう。

解説　6文目You've already registered.から、聞き手はすでに登録が終わっていることがわかるので、(D) Register for classesは除外される。Thereforeで始まる7文目は、接続詞afterで始まる after watching a short video on the history of our institutionの従属節と、we're going to take you on an hour-long walking tour of our campus.の主節の前後関係に注意。「(当機関の) 簡単なビデオ鑑賞」が先に行われるので(C) Watch a filmが正解である。

スクリプト　Questions 71 through 73 refer to the following talk.

→ The hospitality sector is one of the fastest-growing industries in the world. Large hotel, restaurant and resort chains employ thousands of people across a broad range of skills, from chefs and front desk staff to conference center managers and IT specialists. For those of ← you who want to be successful in this industry, specific skills and real-life experiences are critical. Our courses will give you training for a successful career in this exciting field. Through each semester here, you'll go beyond simple textbooks to study under instructors

Q71 接客業界について　　　　　　　　　　　　Q72 求職者にとって重要なこと

who have unequaled expertise. You've already registered. Therefore, after watching a short video on the history of our institution, we're going to take you on an hour-long walking tour of our campus. That way, you'll be more familiar with it when you formally begin your classes next week.

Q73 聞き手が次にすること

スクリプトの訳 設問71-73は次の会話に関するものです。

接客産業は世界で最も急成長する産業の1つです。大規模なホテル、レストランやリゾートチェーンでは、料理人やフロントデスク従業員から会議場の管理者そしてITの専門家まで、何千人もの、広い範囲の技術を擁する人々を採用します。この業界で成功を望む方にとっては、特定の技術や実務経験が必要です。こちらのコースでは、エキサイティングな接客分野で成功するためのトレーニングを行います。各学期とも、比類ない専門技術を持ったインストラクターの下で教科書の枠を超えて学ぶことができます。では、すでに登録をした皆さん方を、当機関の歴史に関する簡単なビデオ鑑賞の後、1時間程度で我々のキャンパスのウォーキングツアーにご案内します。来週から授業が正式に始まりますので、慣れておきましょう。

設問・選択肢の訳

71. 接客業界について何が述べられていますか。
 (A) 成長パターン (B) 給与水準
 (C) 市場の規制 (D) 成功した最高経営責任者

72. 話し手によると、求職者にとって何が重要ですか。
 (A) 管理技術 (B) 実地経験
 (C) コースでの成績 (D) ITの知識

73. 聞き手は次に何をすると考えられますか。
 (A) インストラクターと話す (B) 教科書を注文する
 (C) 映画を見る (D) クラスへ登録をする

□ **hospitality** 名 もてなし、接客
□ **conference** 名 会議
□ **specific** 形 特定の
□ **critical** 形 重要な
□ **unequaled** 形 比類ない
□ **register** 自他 登録する
□ **familiar** 形 慣れて
□ **jobseeker** 名 求職者

□ **sector** 名 業界
□ **specialist** 名 専門家
□ **real-life experiences** 実地経験
□ **semester** 名 学期
□ **expertise** 名 専門技術
□ **institution** 名 機関
□ **regulation** 名 規制
□ **knowledge** 名 知識

第5章 模擬試験：正解と解説

259

Questions 74-76 ★★★ 🇬🇧

74. 正解：(D) 先読みpoint What ▶ この7月には何が起こった？

攻略法 2文目に During our July sale, we got a lot of negative customer feedback because〜（7月の販売においては、お客様から多くの否定的な意見をいただきました。）と言っているので、「多くの顧客が苦情を言った」の意の (D) Many customers complained が正解。

75. 正解：(C) 先読みpoint Who ▶ 臨時のスタッフは誰のところに任命される？

攻略法 設問を読んだだけで、臨時のスタッフがどこかに任命させることがあらかじめわかっている。また、選択肢は図表の右の欄と同じ順番で人名が並んでいる。音声にはおそらく図表の左の部署名のうちどれかが出てくると予測して聞こう。4文目に That's why I'm adding 3 to 4 experienced cashiers to the staff for this month.（そのために、今月、スタッフに経験豊かなキャッシャーを3人から4人追加します。）と言っている。図表ではキャッシャーのことを check out と言い換えていることに瞬時に気付くかがカギとなる。正解は check out の右の欄にある（C）Chaya Epstein となる。

76. 正解：(B) 先読みpoint What ▶ 女性はどんな意味で言っている？

攻略法 afford は（〜する余裕がある）の意味。"We just can't afford any more mistakes"で、「これ以上の失敗をする余裕はありません」と言っているので、もう顧客を長時間待たせることはできない。という意味である。これを「高いレベルで実行する」の表現で言い換えた (B) Performance must be high. が正解となる。

スクリプト **Questions 74 through 76 refer to the following talk and list.** Q74 7月に起こったこと
With the upcoming holidays, we're going to have to work particularly hard. During our July sale, we got a lot of negative customer feedback because shoppers had to wait in long lines to check out— sometimes as long as 20 minutes. We can expect to experience much higher numbers of shoppers this time. That's why I'm adding 3 to 4 experienced cashiers to the staff for this month. We just can't afford any more mistakes. After this sale, I hope that we can see a lot of compliments and high ratings for our store on our Web site and on social media. Q76 女性が言う「失敗」　　Q75 臨時スタッフが任命される部署

スクリプトの訳 問題74-76は次の会話とリストに関するものです。
休日が近づいているので、我々は特に一生懸命働かなければならないでしょう。7月の販売においては、買い物客が勘定を済ませて出て行くのに、時には20分もの間、長い列を作って待たなければならなかったので、お客様から多くの否定的な意見をいただきました。今

度はより多くの買い物客が来店するような経験ができることが予測されます。そのために、今月、スタッフに経験豊かなキャッシャーを3人から4人追加します。もうこれ以上の失敗をする余裕はありません。このセールの後は、ウェブサイトとソーシャルメディアで当店への多くのほめ言葉と高い評価を見ることができることを望みます。

設問・選択肢の訳

今月の担当	
部署	マネージャー
倉庫	Franklin Jones
販売員	Igor Petrov
レジ	Chaya Epstein
案内所	Su-yeon Kim

74. 話し手によると、この7月に何が起こりましたか。
(A) 買い物客の数が減少した。　(B) 製品が、インターネットで購入できなかった。
(C) セールが、少し遅れた。　　(D) 多くの顧客が苦情を言った。

75. リストを見てください。臨時のスタッフが任命されるのは誰のところですか。
(A) Franklin Jones　　　　(B) Igor Petrov
(C) Chaya Epstein　　　　(D) Su-yeon Kim

76. 女性が「これ以上の失敗をする余裕はありません」と言った時、彼女は何を意味していますか。
(A) グループは、より小さくなければならない。
(B) 高いレベルで実行しないといけない。
(C) 規則は、非常に厳しい。
(D) 料金を要求されるかもしれません。

- □ **feedback** 名 意見、反応　　　　□ **wait in long lines** 長い列で待つ
- □ **check out** (勘定を済ませて) 出て行く、チェックアウトする
- □ **experienced** 形 経験豊かな、老練な　□ **compliment** 名 賛辞、ほめ言葉
- □ **assignment** 名 仕事、任務、割当て、宿題
- □ **stockroom** 名 倉庫、貯蔵室　　　□ **decrease** 自 減少する、低下する
- □ **unavailable** 形 利用できない、入手できない、得られない
- □ **somewhat** 副 やや、多少、いくぶん
- □ **complain** 自 不平を言う、不満を言う、苦情を言う
- □ **assign** 他 割り当てる、与える、選任する、配属する、任命する
- □ **regulation** 名 規制、規則

Questions 77-79 ★★ 🇨🇦

77. 正解：(B) 先読みpoint What ▶ 朝5時に起こったことを聞き取ろう！

解説 冒頭に Due to the heavy snowstorm that began at about 5:00 A.M. this morning, とあることから、「朝5時には吹雪が始まった」とわかる。snowstormの音だけを聞いて(A)に誤答してはいけない。「吹雪が始まった」という選択肢はないため、これを「天候が変わった」と言い換えた(B) The weather changed. が正解である。

78. 正解：(C) 先読みpoint What ▶ 道路安全局が人々に**呼びかけている内容**を聞く。

解説 2文目の後半の but 以降の節に the Road Safety Department is asking people とあるのでこの後に道路安全局の呼びかけがわかる文が続く。続いて to take care on their commutes today and plan for an extra 20 to 30 minutes' travel time from their homes と、「通勤に気をつけて余裕を持った計画を立てる」ことを勧めている。正解は「交通機関の遅延を予測すること」の意味の (C) Expect some delays となる。

79. 正解：(B) 先読みpoint Where ▶ 通常どおり運行している場所は**どこ**？

解説 5文目は All subway lines are ～ で始まり、続いて operating normally とある。設問中の operating normally が聞こえたときにはすでに主語の音声が流れた後である。この後に出てくる buses と間違えて (D) などに誤答しないよう注意。正解は (B) On subway lines である。

スクリプト Questions 77 through 79 refer to the following radio broadcast.

Q77 午前5時に起こったこと

Due to the heavy snowstorm that began at about 5:00 A.M. this morning, traffic is moving slowly on most streets and highways around Palo City. There have been no major road closures or accidents reported but the Road Safety Department is asking people to take care on their commutes today and plan for an extra 20 to 30 minutes' travel time from their homes. Downtown streets have been largely cleared of snow but there is a long backup of traffic on both Eaton Avenue and 9th Street leading into the financial district. Flights at Central Airport have also been grounded because of the storm. All subway lines are operating normally but buses are run-

Q78 道路安全局が呼びかけていること   Q79 通常通り運行している場所

ning behind schedule on most routes.

> **スクリプトの訳** 設問77-79は次のラジオ放送に関するものです。

今朝午前5時頃から降り始めた強烈な吹雪のため、パロ・シティ周辺のほとんどの道路とハイウェーでの交通はゆっくりとした動きになっています。主要道路の閉鎖や事故の報告はありませんが、道路安全局は人々に今日の通勤に気をつけ、自宅から20分から30分の余裕をもって移動するよう呼びかけています。ダウンタウンの通りでは大部分の除雪ができていますが、金融街に通じるイートン大通りと9番街では長い交通渋滞となっています。セントラル空港の空の便も嵐のため、離陸が不可能になっています。すべての地下鉄線は通常通り運行していますが、バスはほとんどの路線で予定より遅れた運行状況となっております。

> **設問・選択肢の訳**

77. 放送によると、午前5時に何が起こりましたか。
    (A) 吹雪がやんだ。
    (B) 天候が変わった。
    (C) いくつかの通りが閉鎖された。
    (D) 何台かの車が事故を起こした。

78. 道路安全局は人々に何をすることを呼びかけていますか。
    (A) ハイウェーを避ける
    (B) 報告を待つ
    (C) いくらかの遅延を覚悟する
    (D) 自宅に留まる

79. 交通機関で通常通り運行しているのはどこですか。
    (A) 金融街
    (B) 地下鉄線
    (C) 空港
    (D) バス路線

- ☐ **due to** 〜のため
- ☐ **closure** 名 閉鎖
- ☐ **backup** 名 渋滞
- ☐ **ground** 他 離陸を不可能にする
- ☐ **route** 名 路線
- ☐ **transportation** 名 交通機関
- ☐ **snowstorm** 名 吹雪
- ☐ **commute** 名 通勤
- ☐ **district** 名 地区
- ☐ **behind schedule** 予定より遅れて
- ☐ **occur** 自 起こる

Questions 80-82 ★★ 🇬🇧

80. 正解：(A) 先読みpoint What ▶ メッセージの**目的**を聞き取ろう。

解説 予定変更に関する文はよく出題される。2文目にI need you to make an update to my Moscow itinerary.とあるのでメッセージの目的が「モスクワでの旅程変更」だということがわかる。したがって(A)の To revise a planが正解。update（変更する）、itinerary（旅行計画）などの語は頻出。

81. 正解：(B) 先読みpoint Where ▶ 会議が行われる**場所**を聞き取ろう。

解説 2文目の「モスクワでの旅程変更」を聞いた後に、さらに「会議」が行われる場所を確認しておこう。3文目の最後で〜for the telecom conference there.とあるので「（その場所で）会議が行われる」とわかる。thereが指すのは前の文の「モスクワ」。したがって正解は(B) In Moscowだと確定。

82. 正解：(D) 先読みpoint Who ▶ ジェイソンは誰？

解説 冒頭から話し手はジェイソンに話しかけていることがわかる。ジェイソンが誰かに関する言及はしばらくないが、6文目にPlease call the hotel, tell them you're my assistantとあるのでジェイソンは話し手のアシスタントであることがわかる。したがって正解は(D) A personal assistantである。

スクリプト Questions 80 through 82 refer to the following telephone message.

Jason, this is Felicia calling from the Bucharest office. I need you to make an update to my Moscow itinerary. I had planned to check in at the Hotel Alexis on October 24 for the telecom conference there. However, I have to push back my arrival date to October 26 because of some sudden new client meetings in Warsaw and Prague. My checkout date will remain the same. Please call the hotel, tell them you're my assistant, and then make the change. Use my reservation number: HK2140. Afterwards, please update my online calendar and then e-mail me a confirmation. Thanks.

Q81 会議が行われる場所
Q80 メッセージの目的
Q82 ジェイソンは誰？

スクリプトの訳 設問80-82は次の電話のメッセージに関するものです。

ジェイソン、こちらはブカレスト事務所のフェリシアです。私のモスクワ旅行日程を変更していただきたいのです。私はモスクワでの電気通信会議のために10月24日、アレクシスホテルにチェックインする予定でした。しかし、ワルシャワとプラハで新しい顧客と突然打ち合わせすることになってしまい、私の到着日を10月26日に遅らせなければなりません。私のチェックアウトの日にちに関しては変更ありません。どうかホテルに電話して、彼らにあなたが私の助手であることを伝え、変更をしてもらえませんか。私の予約番号：HK 2140を使ってください。その後、私のオンライン・カレンダーを更新し、私に確認のEメールをください。どうもありがとう。

設問・選択肢の訳

80. このメッセージの主な目的は何ですか。
    (A) 計画を変更すること
    (B) 情報を得ること
    (C) 要求に応じること
    (D) アカウントを更新すること

81. 会議はどこで行われますか。
    (A) ブカレスト
    (B) モスクワ
    (C) ワルシャワ
    (D) プラハ

82. ジェイソンは誰だと考えられますか。
    (A) イベント・プランナー
    (B) ホテル事務員
    (C) 旅行代理店員
    (D) 個人アシスタント

□ **update** 他 変更する
□ **afterwards** 副 その後
□ **revise** 他 変更する
□ **travel agent** 旅行代理店
□ **itinerary** 名 旅行計画
□ **confirmation** 名 確認
□ **respond** 自 応じる

Questions 83-85 ★★★ 🇨🇦

83. 正解：(C) 先読みpoint　What ▶ 問題点は何かを聞き取ろう。

解説　冒頭のAttention, all passengersで空港、搭乗に関するアナウンスだと確認する。2文目にBoarding will be delayed because～とあり、搭乗が遅れていることがわかる。その後に理由が述べられているので、集中しよう。～because of a mechanical failure on the aircraft.と聞こえたらすぐに「技術的な問題」と理解し、(C)を正解としよう。

84. 正解：(B) 先読みpoint　What ▶ 302便の乗客は何をするべき？

解説　冒頭で302便の乗客へのアナウンスだと確認しておく。4文目にWe ask that you remain near the boarding gate during this timeとあるので、聞き手は搭乗口の近くで待つことが求められている。したがって正解はこれを言い換えた(B) Stay in the departure areaとなる。

85. 正解：(C) 先読みpoint　Where ▶ アップデートの確認をする場所を聞き取ろう。

解説　8文目にWe encourage passengers to view real-time flight status updates availableとあるので、この後に続く文にアップデートする場所が含まれていると予測する。～on the display screens located throughout this airport terminal.と聞こえるのでdisplay screensを言い換えた(C) On digital boardsが正解だとわかる。

スクリプト　Questions 83 through 85 refer to the following announcement.

Attention, all passengers traveling on Flight 302 to Dubai. **Boarding will be delayed because of a mechanical failure on the aircraft.** We will have this issue resolved as soon as we can, and do not anticipate any problems for travelers making connecting flights at the aircraft's destination. **We ask that you remain near the boarding gate during this time**, so that you can hear all related announcements. We remind passengers to keep their boarding passes with them at all times. Also, please remember that only one piece of carry-on luggage is permitted, excluding laptop computers, tablets or similar electronic devices. Our staff will have more information for you within the next 15 minutes. **We encourage passengers to view real-time flight status updates available on the display screens** located

Q83 問題になっていること
Q84 乗客がするべきこと
Q85 アップデートの確認をする場所

throughout this airport terminal.

スクリプトの訳 設問83-85は次のアナウンスに関するものです。
ドバイ行き302便にご搭乗のお客様に申し上げます。航空機の機器の不具合によりご搭乗時間は遅れることになります。問題はできるだけ早く解決し、到着地での乗り継ぎ便を利用されるお客様に影響のないようにいたします。つきましては、これに関するアナウンスをもらさずお聞きになれるよう、搭乗口の近くでお待ちくださいますようお願いいたします。搭乗券は常にお手元にご準備ください。ノートパソコン、タブレット型やそれらに類似した電子機器を除き、機内持込み手荷物の許可は1点のみであることをご確認ください。当社スタッフにより詳細情報を15分以内にお知らせします。また、フライト状況の最新情報はこの空港ターミナル各所に配置されたディスプレー画面でご覧ください。

設問・選択肢の訳

83. 問題は何ですか。
    - (A) 飛行機が超過予約されている。
    - (B) フライトの到着が遅れている。
    - (C) 技術的な問題がある。
    - (D) 搭乗口が変更になった。

84. 302便の乗客は何をするよう求められていますか。
    - (A) 荷物を確認する。
    - (B) 出発エリアで待機する。
    - (C) 乗り継ぎ便を確認する。
    - (D) 電子機器の電源を切る。

85. アナウンスによると、乗客はどこで更新情報を確認できますか。
    - (A) 電子チケットのオフィス
    - (B) スタッフの机
    - (C) デジタル掲示板
    - (D) 空港のホームページ

- **issue** 名 問題
- **anticipate** 他 予想する
- **boarding gate** 搭乗口
- **carry-on** 形 機内に持ち込める
- **permit** 他 許す
- **tablet** 名 タブレット機器
- **encourage** 他 勧める
- **overdue** 形 遅れた
- **confirm** 他 確認する
- **resolve** 他 解決する
- **destination** 名 到着地
- **remind** 他 思い出させる
- **luggage** 名 手荷物
- **exclude** 他 除外する
- **device** 名 機器
- **overbook** 自 予約を取りすぎる
- **departure** 名 出発

Questions 86-88 ★★★

86. 正解：(C) 先読みpoint **Why** ▶ コンダー社が**市場のリーダーである理由**を聞き取ろう。

解説 マスコミに対する冒頭のあいさつに続く2文目でコンダー社が何十年にもわたってマーケットリーダーであったことに触れられている。その理由が述べられているのは3文目で We've kept our position by の後。~adapting to new business and consumer trends, as well as technologies.（技術同様、新規事業や消費者の動向に適応することで）とあるので (C) It has used technological developments. が正解。

87. 正解：(B) 先読みpoint **What** ▶ 会社が**何をすることに決めたのか**を聞き取ろう。

解説 4文目に we are shifting to a purely online company.（オンラインによる業務に完全に移行する）とあり、Our offline stores will be closed and the properties sold to interested buyers.（通常の店舗は閉鎖され、不動産は売却される）と言っているので、これを簡潔に言い換えた (B) Change its structure が正解である。

88. 正解：(D) 先読みpoint **What** ▶ 次に**何が起こるか**？

解説 Part 3、4の3問目に頻出の「次に何が起こるか」についての設問。最終文を聞き取れば答えられる問題がほとんどを占める。ここでも8文目の If you have any question, I'll take them now. がそのまま答えを導くカギとなり、「質問への応答がある」の意である (D) Questions will be answered. が正解。

スクリプト Questions 86 through 88 refer to the following speech.

We're pleased to welcome the members of the media today. As many of you know, Kondor Incorporated has been an office supplies market leader for many decades. We've kept our position by adapting to new business and consumer trends, as well as technologies. In line with this, as of April 9, we are shifting to a purely online company. Our offline stores will be closed and the properties sold to interested buyers. Customers will still receive our same great products at low prices. They will also be able to choose from a variety of delivery choices, including overnight service for an additional fee. We are confident this will be an effective strategy for lowering our operational costs while continuing to meet or exceed customer demands. If you have any questions, I'll take them now.

Q86 コンダー社が市場のリーダーである理由　Q88 次に起こること　Q87 会社が決めたこと

スクリプトの訳 設問86-88は次のスピーチに関するものです。

本日、マスコミの皆様をお迎えすることをうれしく思います。ご存じのように、コンダー社は何十年もの間、事務用品市場のリーダーでありました。私たちは、技術と同様に、新しい事業や消費者の動向に適応することでこれまでの地位を築いてまいりました。この流れに沿って、4月9日に我々はオンラインによる業務に完全に移行します。私たちの通常の店舗は閉鎖され、資産は購入希望者に売却されます。お客様には、これまで同様に優れた製品を低価格でご購入いただけます。また、さまざまな配達方法を取り揃えており、追加料金をお支払いいただくと、翌日配送もお選びいただけます。この効果的な戦略により、お客様のお望み以上のサービスを提供しつつ、運営費を削減することが可能になると確信しています。何かご不明な点がございましたらここでお答えいたします。

設問・選択肢の訳

86. スピーチによると、なぜコンダー社は市場のリーダーなのですか。
    (A) 何十年にもわたって運営されているため。
    (B) 事業コストを低く保っているため。
    (C) 技術開発を利用してきたため。
    (D) 多くのオフィスを開設してきたため。

87. この会社は何をすることに決めましたか。
    (A) 不動産を増やす　　　　　　　　　(B) 体制を変える
    (C) 製造業者を買収する　　　　　　　(D) 商品価格を下げる

88. 次に何が起こると思われますか。
    (A) 顧客へのインタビュー　　　　　　(B) 商品のデモンストレーション
    (C) セミナーの食事の配布　　　　　　(D) 質疑応答

- □ **office supplies** 事務用品　　　　□ **decade** 名 10年間
- □ **adapt** 自 適応する　　　　　　　□ **consumer** 名 消費者
- □ **property** 名 財産　　　　　　　　□ **a variety of ～** さまざまな～
- □ **delivery** 名 配達　　　　　　　　□ **overnight** 形 翌日配送の、夜通しの
- □ **strategy** 名 戦略　　　　　　　　□ **lower** 他 低下させる
- □ **exceed** 他 超える　　　　　　　　□ **development** 名 開発
- □ **expand** 他 拡大する　　　　　　　□ **purchase** 他 購入する
- □ **supplier** 名 製造会社　　　　　　□ **demonstrate** 他 実演する

Questions 89-91 ★★★

89. 正解：(A)　先読みpoint　**Who** ▶ 話をしているのは誰？

解説 Part 3、4では1問目は文章全体に関わる問題が多く出題される。冒頭付近に集中すると正解が分かる問題がほとんどである。ここでも2文目がAs mayor, I～（市長として、私は～）と始まっているので「市長」を別の表現で言い換えた(A) A public officialが正解である。

90. 正解：(D)　先読みpoint　**What** ▶ 住民の心配は何かを聞き取ろう。

解説 2文目に I know that many citizens, along with many of you on the city council, oppose this idea（多くの市民が市議会の皆様とともにこの考えに反対している）と述べていて、続く because of environmental concerns. の個所で初めて「環境への憂慮」が工場建設に反対している理由だとわかる。これを「自然保護」の意味の語に言い換えた(D) Protecting natureが正解。

91. 正解：(B)　先読みpoint　**What** ▶ 次に何が起きるかを聞き取ろう。

解説 3問目の代表的な「次に何が起きるか」の問題。ここでは最後の文（9文目）ではなく、8文目がカギとなる。I'm going to put the detailed benefits of this plan on the electronic screen behind me.（後ろの電子画面に利益の詳細を表示します）とあるので正解は(B) Information will be shown. となる。

Q90 住民の心配事

スクリプト **Questions 89 through 91 refer to the following speech.**
Everyone in this room knows that we have been asked to give Lockford Corporation a permit to build a new factory within our city limits. As mayor, I know that many citizens, along with many of you on the city council, oppose this idea because of environmental concerns. I understand your worries. Up to now, we have relied on tourism. Our sandy beaches and green hills draw visitors from around the province, especially in summer. Tourism revenue has remained steady even during the national economic downturn, which is exceptional by most standards. However, I believe it's important to diversify the economic base of our city. That is why I am encouraging you to grant this permit. I'm going to put the detailed benefits of this plan on the electronic screen behind me. Please consider them

Q89 話しているのは誰？　　　Q91 次に起こること

carefully before the council vote scheduled for next week on this issue.

> **スクリプトの訳** 設問89-91は次のスピーチに関するものです。

この部屋にお集まりいただいた皆様は、ロックフォード社が我が市域内に新しい工場の建設許可を与えるよう要請していることをご存知でしょう。私は市長として、市議会の皆様方と同様に、多くの市民が環境への配慮からこの考えに反対していることを承知しております。ご心配されるのはごもっともです。これまで、我々は観光事業に頼って参りましたし、私たちの砂浜と緑の丘は、特に夏季には、州全土からの観光客を引き付けます。観光収入は国家経済の衰退にも関わらず堅調に推移しており、これは平均水準と比較して特別な数値です。しかしながら、市の経済基盤を多様化させることも重要だと考えております。それゆえ皆さま方にもこの要請にご理解いただけるようにお話しさせていただきたいのです。後方の電子画面にこの計画の利益の詳細を表示いたします。来週予定されているこの問題に関する議会投票の前に、どうか慎重にご検討ください。

> **設問・選択肢の訳**

89. 話し手は誰だと思われますか。
    - (A) 公務員
    - (B) 旅行代理業者
    - (C) 会社のリーダー
    - (D) ファンド・マネージャー

90. スピーチによると、多くの住民の心配は何ですか。
    - (A) 経済の改善
    - (B) 企業誘致
    - (C) 観光事業の増加
    - (D) 自然保護

91. 次に何が起こると思われますか。
    - (A) 別の人が話す。
    - (B) 情報が表示される。
    - (C) 投票が集計される。
    - (D) 予定が変更される。

- □ **permit** 名 許可
- □ **council** 名 議会
- □ **environmental** 形 環境の
- □ **rely on** 〜に頼る
- □ **province** 名 州、地方
- □ **steady** 形 堅調な
- □ **diversify** 他 多様化する
- □ **vote** 名 投票
- □ **resident** 名 住民
- □ **improve** 他 改善する
- □ **limits** 名 区域
- □ **oppose** 他 反対する
- □ **worry** 名 心配
- □ **tourism** 名 観光事業
- □ **revenue** 名 収入
- □ **exceptional** 形 例外的な
- □ **grant** 他 与える
- □ **public official** 公務員
- □ **attract** 他 引きつける
- □ **revise** 他 変更する

Questions 92-94 ★★★ 🇬🇧

92. 正解：(C) 先読みpoint **What** ▶ アナウンスの**目的は何か**について聞き取ろう。

[解説] 冒頭では「今月、建物内で実施される作業についてお話しします」と言っており、建物内で何かが行われることがわかる。ここで答えが(A)か(C)のどちらかに絞られる。続く2文目でMaintenance crews are going to close off the escalators〜（保守管理担当者が1〜5階のエスカレーターを閉鎖します）とある。3文目のThis is so repairs can be carried out.のあたりで「施設の補修」と確定できるだろう。したがって(C) A facility renovationが正解。

93. 正解：(C) 先読みpoint **When** ▶ プロジェクトは**いつ完了**する？

[解説] Part 4においてもPart 3同様、3問中2問目では日付、数値など具体的な事柄を問われることが多い。数値を聞かれている場合は説明文中に選択肢と同じ数字を含む文が散りばめられていることが多いが、単に数字を聞き取ることで満足するとトラップにひっかかるので注意しよう。ここでは6文目にThis work should be entirely completed within 4 weeks.とあるので(C) In 4 weeksが正解だとわかる。説明文には(A)の「1」、(B)の「3（0）」、(D)の「5」がすべて出てくるが、どれも正解ではない。

94. 正解：(C) 先読みpoint **Who** ▶ 会社が感謝している相手は**誰か**について聞き取ろう。

[解説] 設問先読みを踏まえて「感謝」に関する発言を待ちながら聞くと、ようやく"thank"と出てくるのが7文目（最終文）の途中である。これが聞こえたときにはすでに正解を導くための主語The company and building managementの音声が流れた後である。普段から聞こえた英文を映像化して頭にイメージしておく訓練が必要。for your patienceより聞き手、つまり従業員に感謝していることがわかる。正解は(C) Business staffである。

スクリプト Questions 92 through 94 refer to the following announcement.

Q92 アナウンスの目的

Before you break for lunch, I want to tell you about some work that is going to be carried out in the building this month. Maintenance crews are going to close off the escalators that serve Floors 1 through 5, and the areas right in front of each escalator. This is so repairs can be carried out. The crews will also close off about 30 percent of the lobby to use as equipment space while this is going on. If your desk is on the lower floors of the building, you might

> **Q93** プロジェクトが完了する予定

hear a bit of noise from all this. This work should be entirely completed within 4 weeks. The company and building management thank you all for your patience while this work is being done.

> **Q94** 会社が感謝している相手

スクリプトの訳 設問92-94は次のアナウンスに関するものです。

昼食休憩の前に、今月建物内で実施されるいくつかの作業についてお話ししたいと思います。保守管理担当者は、1階から5階で稼働中のエスカレーターと、各エスカレーター手前のエリアを閉鎖します。それにより修理の実施が可能になります。また機器用スペースとして使用されるロビーの約30％が管理者により閉鎖されます。低層階で業務をされている場合、これらすべての作業により若干の騒音があるかもしれません。4週間以内に作業は完了するはずです。作業中は皆様にはご迷惑をおかけしますが、当社とビル管理課にご協力いただき、感謝いたします。

設問・選択肢の訳

92. アナウンスは主に何についてですか。
    (A) オフィスの移転
    (B) 製品の改良
    (C) 施設の補修作業
    (D) 警備のガイドライン

93. プロジェクトはいつ完了する予定ですか。
    (A) 1週間以内
    (B) 3週間以内
    (C) 4週間以内
    (D) 5週間以内

94. 会社は誰に感謝していますか。
    (A) 作業要員
    (B) ビルの管理人
    (C) 会社スタッフ
    (D) 政府の職員

- □ **carry out** 実施する
- □ **crew** 名 要員
- □ **equipment** 名 機器
- □ **patience** 名 忍耐
- □ **upgrade** 名 改良
- □ **renovation** 名 修理、改修
- □ **personnel** 名 職員
- □ **maintenance** 名 保守管理
- □ **This is so ～** これは～するためである
- □ **entirely** 副 完全に
- □ **relocation** 名 移転
- □ **facility** 名 施設
- □ **guideline** 名 指針、ガイドライン

Questions 95-97 ★★★ 🇨🇦

95. 正解：(A) 先読みpoint **What** ▶ 会社の長所は何？

攻略法 冒頭から Today, you'll see why we're confident we are the most efficient textile producer in the country. （本日、皆さんには、我々が、なぜ我が国で最も効率の良い織物メーカーであると確信しているかについてご覧いただきます。）と言っているので、話し手は会社の長所として「効率が良いこと」を挙げている。正解は (A) Operational efficiency である。

96. 正解：(C) 先読みpoint **What** ▶ ツアーから何が除外される？

攻略法 5文目で We're going to exclude the warehouses from the tour, because you've already seen them. （すでにそれらの倉庫はご覧になったので、このツアーから倉庫を除外しています。）と言っているので、このツアーからは倉庫が外されるとわかる。地図を見ると倉庫はZone 3にあるので、(C) Zone 3 が正解である。

97. 正解：(D) 先読みpoint **What** ▶ 最後に話されることは何？

攻略法 6文目、最終文で Lastly, we'll go to the headquarters, and we can discuss pricing and delivery terms in more detail there. （最後に、本部に行き、更に詳しく価格設定と配達条件を話し合うことができます。）と言っている。これを「取引の条件」の意味に言い換えた (D) Terms of a deal が正解。

スクリプト **Questions 95 through 97 refer to the following talk and map.**

Q95 会社の長所

Today, you'll see why we're confident we are the most efficient textile producer in the country. Here, you'll have a chance to see our advanced tools and production lines, as well as our supplies management systems. We'll also go through our design rooms…uh…as you know, we also produce a few originally-branded items ourselves, based on our own designs. At our shipping area, you'll be able to see how we quickly get our finished products out to clients. We're going to exclude the warehouses from the tour, because you've already seen them. Lastly, we'll go to the headquarters, and we can discuss pricing and delivery terms in more detail there.

Q96 ツアーから除外されるもの　　　Q97 最後に話されてること

スクリプトの訳 設問95-97は、次の会話と地図に関するものです。

本日、皆さんには、我々が、なぜ我が国で最も有能な織物メーカーであると確信しているかについてご覧いただきます。ここでは、供給管理システムだけでなく、我々の先進的な機械と生産ラインを見るチャンスがあります。デザイン・ルームも通ります…ああ…ご存じの通り、我々のデザインによる2、3のオリジナルブランド商品も生産しています。我々の発送エリアでは、我々がどのように早くお客様に完成品を送り出すかについて見ることができます。すでにそれらの倉庫はご覧になったので、このツアーから倉庫を除外しています。最後に、本部に行き、さらに詳しく価格設定と配達条件を話し合うことができます。

設問・選択肢の訳

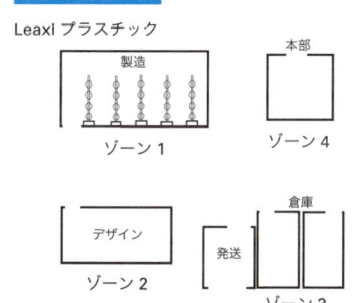

Leaxl プラスチック

```
[製造]        [本部]
ゾーン1       ゾーン4

[デザイン]  [発送][倉庫]
ゾーン2            ゾーン3
```

95. 話し手によると、この会社の長所は何ですか。
(A) 事業の効率　　　　　　　(B) 低コストの供給品
(C) 受賞したマネージャー　　(D) 理想的に配置された構内

96. 地図を見てください。何がツアーから除外されますか。
(A) ゾーン1　　　　　　　　(B) ゾーン2
(C) ゾーン3　　　　　　　　(D) ゾーン4

97. 最後に何が議論されますか。
(A) 発送　　　　　　　　　　(B) 顧客のブランド
(C) 完成したソフトウェア　　(D) 取引の条件

□ **confident** 形 確信して、自信をもって　　□ **efficient** 形 効率的な、有能な、能率的な
□ **textile** 名 織物、繊維、布地　　　　　　□ **advanced** 形 先進的な、高度な
□ **shipping** 名 発送、船積み、出荷　　　　□ **exclude** 他 締め出す、除外する
□ **warehouse** 名 倉庫、貯蔵庫　　　　　　□ **lastly** 副 最後に、終わりに
□ **pricing** 名 価格設定
□ **term** 名 期間、期限、（支払い・料金などの）条件
□ **advantage** 名 強み、長所　　　　　　　□ **operational** 形 捜査上の、経営上の
□ **ideally** 副 理想的に、申し分なく　　　□ **premise** 名 家屋、建物、構内、店内
□ **deal** 名 取引

Questions 98-100 ★★★ 🇺🇸

98. 正解：(B) 先読みpoint **Why** ▶ 話し手は**どうして**聞き手に**感謝している**のか聞き取ろう。

解説 冒頭の Thanks for the〜から、話し手が聞き手に感謝を表していることがわかる。「新たな販売実績を生み出したこと」について感謝した後、2文目に「すでに四半期目標を13.8%も上回っている」と述べている。したがって「基準を超えた」の意である (B) They surpassed a benchmark. が正解である。

99. 正解：(D) 先読みpoint **What** ▶ 10月1日以降、会社は**何を計画している**？

解説 設問には after October 1 と具体的な日程が含まれており、聞き取りポイントが容易にわかる。実際に5文目が After October 1 で始まっているのでこの後が正解を導くカギとなる。この後には「営業部の人間が新規顧客の開拓に集中すること」とあり、続く6文目には「契約がまとまった顧客の口座は『顧客口座課』が管理する」とある。したがって正解は (D) となる。

100. 正解：(D) 先読みpoint **What** ▶ 新しい方針は**どんな結果**をもたらすか聞き取ろう。

解説 まず6文目で新しい方針に基づく社員の責任の所在について説明しており、続く7文目では This should reduce your workload and enable you to be more productive. とあり、「新しい方針によって作業負担が減少し、生産的な業務を行うことができる」と言っている。したがって正解は (D) Greater output。output は「生産高」の意。

スクリプト **Questions 98 through 100 refer to the following excerpt from a meeting.**

Thanks for the great job you've done in generating new sales recently. We estimate that you've already exceeded our quarterly targets by 13.8 percent and that couldn't have been easy. The board of directors knows that many of you have to work hard both to find new clients and manage the accounts of the clients we already have. From next month, however, we're going to introduce a change. After October 1, salespersons like you will focus solely on attracting new clients. Once you have closed a deal with any particular company, the client account will be managed by a new department, Customer Accounts. This should reduce your workload and enable you to be more productive.

Q98 話し手が聞き手に感謝する理由
Q99 会社が計画していること
Q100 新しい方針がもたらすもの

> スクリプトの訳　設問98-100は次のミーティングの抜粋に関するものです。

新たな販売実績を生み出し、素晴らしい成果をおさめてくださり、感謝いたします。皆様方は既に四半期目標を13.8％超えていると概算できますが、それは決して容易ではなかったでしょう。取締役会が知り得るのは、皆さんの多くが新規顧客の開拓と、既存顧客の口座管理の両方に尽力しなければならないことです。しかし、来月から1つ変更をいたします。10月1日以降、販売員の皆様は、新しい顧客の獲得だけに取り組んでください。一度特定の会社との契約を取りまとめたら、その顧客口座は新しい「顧客口座課」によって管理されます。このことで皆さんの作業負担は減少し、より生産的な業務を行うことができるようになるでしょう。

> 設問・選択肢の訳

98. なぜ話し手は聞き手に感謝していますか。
　　(A) 彼らは運営コストを下げた。
　　(B) 彼らは基準を上回った。
　　(C) 彼らは新たな標準を設定した。
　　(D) 彼らは投資で利益を上げた。

99. 10月1日以降、会社は何をすることを計画していますか。
　　(A) 何人かの追加の部門スタッフを雇う。
　　(B) 大企業に集中する。
　　(C) より複雑なビジネス取引へ切り替える。
　　(D) 一部の従業員の責務を変更する。

100. 話し手は、新方針の結果がどうなると述べていますか。
　　(A) より高い作業負担　　　　(B) より多様な製品
　　(C) より少ない従業員　　　　(D) より大きな生産高

- generate 他 生み出す
- exceed 他 超える
- the board of directors 取締役会
- introduce 他 取り入れる
- close a deal 取り引きをまとめる
- workload 名 作業負担
- lower 他 下げる
- surpass 他 上回る
- invest 自他 投資する
- additional 形 追加の
- responsibility 名 責務
- output 名 生産高
- estimate 他 見積もる
- quarterly 形 四半期の
- account 名 口座
- solely 副 ただ、単に
- reduce 他 減らす
- productive 形 生産的な
- operation 形 運営上の
- benchmark 名 基準
- profitably 副 利益が出るように
- complex 形 複雑な
- diverse 形 多様な

模擬試験 マークシート

LISTENING SECTION

REGISTRATION NO.
受験番号

フリガナ
NAME
氏名

Part 1

No.	ANSWER A B C D
1	Ⓐ Ⓑ Ⓒ Ⓓ
2	Ⓐ Ⓑ Ⓒ Ⓓ
3	Ⓐ Ⓑ Ⓒ Ⓓ
4	Ⓐ Ⓑ Ⓒ Ⓓ
5	Ⓐ Ⓑ Ⓒ Ⓓ
6	Ⓐ Ⓑ Ⓒ Ⓓ
7	Ⓐ Ⓑ Ⓒ
8	Ⓐ Ⓑ Ⓒ
9	Ⓐ Ⓑ Ⓒ
10	Ⓐ Ⓑ Ⓒ

Part 2

No.	ANSWER A B C	No.	ANSWER A B C	No.	ANSWER A B C
11	Ⓐ Ⓑ Ⓒ	21	Ⓐ Ⓑ Ⓒ	31	Ⓐ Ⓑ Ⓒ
12	Ⓐ Ⓑ Ⓒ	22	Ⓐ Ⓑ Ⓒ		
13	Ⓐ Ⓑ Ⓒ	23	Ⓐ Ⓑ Ⓒ		
14	Ⓐ Ⓑ Ⓒ	24	Ⓐ Ⓑ Ⓒ		
15	Ⓐ Ⓑ Ⓒ	25	Ⓐ Ⓑ Ⓒ		
16	Ⓐ Ⓑ Ⓒ	26	Ⓐ Ⓑ Ⓒ		
17	Ⓐ Ⓑ Ⓒ	27	Ⓐ Ⓑ Ⓒ		
18	Ⓐ Ⓑ Ⓒ	28	Ⓐ Ⓑ Ⓒ		
19	Ⓐ Ⓑ Ⓒ	29	Ⓐ Ⓑ Ⓒ		
20	Ⓐ Ⓑ Ⓒ	30	Ⓐ Ⓑ Ⓒ		

(rows 32–40 under the fourth No. column have ANSWER A B C D: Ⓐ Ⓑ Ⓒ Ⓓ)

Part 3

No.	ANSWER A B C D
41	Ⓐ Ⓑ Ⓒ Ⓓ
42	Ⓐ Ⓑ Ⓒ Ⓓ
43	Ⓐ Ⓑ Ⓒ Ⓓ
44	Ⓐ Ⓑ Ⓒ Ⓓ
45	Ⓐ Ⓑ Ⓒ Ⓓ
46	Ⓐ Ⓑ Ⓒ Ⓓ
47	Ⓐ Ⓑ Ⓒ Ⓓ
48	Ⓐ Ⓑ Ⓒ Ⓓ
49	Ⓐ Ⓑ Ⓒ Ⓓ
50	Ⓐ Ⓑ Ⓒ Ⓓ

Part 3 (continued)

No.	ANSWER A B C D	No.	ANSWER A B C D
51	Ⓐ Ⓑ Ⓒ Ⓓ	61	Ⓐ Ⓑ Ⓒ Ⓓ
52	Ⓐ Ⓑ Ⓒ Ⓓ	62	Ⓐ Ⓑ Ⓒ Ⓓ
53	Ⓐ Ⓑ Ⓒ Ⓓ	63	Ⓐ Ⓑ Ⓒ Ⓓ
54	Ⓐ Ⓑ Ⓒ Ⓓ	64	Ⓐ Ⓑ Ⓒ Ⓓ
55	Ⓐ Ⓑ Ⓒ Ⓓ	65	Ⓐ Ⓑ Ⓒ Ⓓ
56	Ⓐ Ⓑ Ⓒ Ⓓ	66	Ⓐ Ⓑ Ⓒ Ⓓ
57	Ⓐ Ⓑ Ⓒ Ⓓ	67	Ⓐ Ⓑ Ⓒ Ⓓ
58	Ⓐ Ⓑ Ⓒ Ⓓ	68	Ⓐ Ⓑ Ⓒ Ⓓ
59	Ⓐ Ⓑ Ⓒ Ⓓ	69	Ⓐ Ⓑ Ⓒ Ⓓ
60	Ⓐ Ⓑ Ⓒ Ⓓ	70	Ⓐ Ⓑ Ⓒ Ⓓ

Part 4

No.	ANSWER A B C D	No.	ANSWER A B C D	No.	ANSWER A B C D
71	Ⓐ Ⓑ Ⓒ Ⓓ	81	Ⓐ Ⓑ Ⓒ Ⓓ	91	Ⓐ Ⓑ Ⓒ Ⓓ
72	Ⓐ Ⓑ Ⓒ Ⓓ	82	Ⓐ Ⓑ Ⓒ Ⓓ	92	Ⓐ Ⓑ Ⓒ Ⓓ
73	Ⓐ Ⓑ Ⓒ Ⓓ	83	Ⓐ Ⓑ Ⓒ Ⓓ	93	Ⓐ Ⓑ Ⓒ Ⓓ
74	Ⓐ Ⓑ Ⓒ Ⓓ	84	Ⓐ Ⓑ Ⓒ Ⓓ	94	Ⓐ Ⓑ Ⓒ Ⓓ
75	Ⓐ Ⓑ Ⓒ Ⓓ	85	Ⓐ Ⓑ Ⓒ Ⓓ	95	Ⓐ Ⓑ Ⓒ Ⓓ
76	Ⓐ Ⓑ Ⓒ Ⓓ	86	Ⓐ Ⓑ Ⓒ Ⓓ	96	Ⓐ Ⓑ Ⓒ Ⓓ
77	Ⓐ Ⓑ Ⓒ Ⓓ	87	Ⓐ Ⓑ Ⓒ Ⓓ	97	Ⓐ Ⓑ Ⓒ Ⓓ
78	Ⓐ Ⓑ Ⓒ Ⓓ	88	Ⓐ Ⓑ Ⓒ Ⓓ	98	Ⓐ Ⓑ Ⓒ Ⓓ
79	Ⓐ Ⓑ Ⓒ Ⓓ	89	Ⓐ Ⓑ Ⓒ Ⓓ	99	Ⓐ Ⓑ Ⓒ Ⓓ
80	Ⓐ Ⓑ Ⓒ Ⓓ	90	Ⓐ Ⓑ Ⓒ Ⓓ	100	Ⓐ Ⓑ Ⓒ Ⓓ

模擬試験　スコアレンジ換算表

素点レンジ	換算レンジ
96 － 100	490 － 495
91 － 95	465 － 490
86 － 90	425 － 475
81 － 85	370 － 435
76 － 80	320 － 380
71 － 75	315 － 360
66 － 70	275 － 325
61 － 65	235 － 280
56 － 60	215 － 260
51 － 55	195 － 235
46 － 50	175 － 210
41 － 45	150 － 195
36 － 40	120 － 165
31 － 35	85 － 140
26 － 30	60 － 105
21 － 25	45 － 80
16 － 20	30 － 65
11 － 15	20 － 55
6 － 10	10 － 35
1 － 5	5 － 20

●第5章 Test の自分の「素点」のレンジから、TOEIC リスニング・セクションのスコアのレンジが予測できます。目安としてご利用ください。

●著者紹介

松本恵美子　Matsumoto Emiko

上智大学大学院博士前期課程修了（TESOL／英語教授法）。言語テスティング専攻。
青山学院大学、成蹊大学講師。全国の大学生向けテキストの執筆。TOEIC、TOEFL、IELTS、英検などの資格試験対策を行う。
主な著書は「TOEIC®TESTリスニングスピードマスターVer.2」、「TOEIC®TEST全パートまるごとスピードマスター」、「まるわかりTOEFL iBT®テスト完全模試」（以上、Jリサーチ出版）、「新TOEIC®TEST1分間マスター　リスニング編・リーディング編」（日本経済新聞出版社）、「TOEIC LISTENING AND READING TEST 15日で500点突破! リスニング攻略・リーディング攻略」（三修社）、「TOEIC®TEST究極アプローチ」（成美堂）、「TOEFL ITPテスト完全制覇」（ジャパンタイムズ）など多数。
テニスと一眼レフカメラが趣味。

カバーデザイン	滝早苗
本文デザイン／DTP	株式会社 群企画
本文イラスト	池上真澄
音声ナレーション	Jack Merluzzi
	Carolyn Miller
	Brad Homes
	Nadia Mckechnie

本書へのご意見・ご感想は下記URLまでお寄せください。
http://www.jresearch.co.jp/kansou/

TOEIC® TEST リスニング スピードマスター NEW EDITION

平成29年（2017年）2月10日　初版第1刷発行

著　者	松本恵美子
発行人	福田富与
発行所	有限会社　Jリサーチ出版
	〒166-0002 東京都杉並区高円寺北2-29-14-705
	電話 03(6808)8801 (代)　FAX 03(5364)5310
	編集部 03(6808)8806
	http://www.jresearch.co.jp
印刷所	株式会社　シナノ パブリッシング プレス

ISBN978-4-86392-326-3　　禁無断転載。なお、乱丁・落丁はお取り替えいたします。
©2017 Emiko Matsumoto, All rights reserved.